Rudolph Gneist

Die confessionelle Schule

SALZWASSER
VERLAG

Rudolph Gneist

Die confessionelle Schule

1. Auflage | ISBN: 978-3-75250-617-4

Erscheinungsort: Frankfurt am Main, Deutschland

Erscheinungsjahr: 2020

Salzwasser Verlag GmbH, Deutschland.

Nachdruck des Originals von 1869.

Die

confessionelle Schule.

Ihre Unzuläſſigkeit nach preußiſchen Landesgeſetzen

und

die Nothwendigkeit eines Verwaltungsgerichtshofes

von

Dr. Rudolf Gneiſt.

Berlin.

Verlag von Julius Springer.

1869.

Inhaltsverzeichniß.

I.

Das Mißlingen der Schulgesetzentwürfe.

Das Streben nach religiöser Wahrheit und geistiger Bildung ist seit dem späteren Mittelalter ein Grundzug des deutschen Volksgeistes geworden. Der geistigen Befreiung hat Deutschland seiner Zeit selbst die nationale Einheit, die politische Freiheit, das bürgerliche Wohl zum Opfer gebracht.

Unter den Anwartschaften des preußischen Staatswesens auf die politische Führung Deutschlands nimmt eine der ersten Stellen ein die Pflege der Wissenschaft bis zur Volksschule herab.

Der seit 1808 verjüngte Staat hat sich dieser Aufgabe mit erhöhter Kraft zugewandt, und in regem Wetteifer mit den besseren Regierungen des deutschen Bundes, Schule und Universität zu einem der glänzendsten Theile der nationalen Entwickelung erhoben.

Die starke Seite dieser Bildung liegt nicht in der äußeren Form der Gesetzgebung, welche bis heute sich in einer lückenhaften, schwer übersichtlichen Gestalt vorfindet; sondern sie liegt in einigen einfachen Grundsätzen, welche ihrer Zeit durch den Berufseifer der Beamten und Lehrer in treuer Ausdauer zur Durchführung gekommen sind. Die mühsame Staatsarbeit charakterisirt auf diesem wie auf anderen Gebieten das Wesen des Preußischen Staats. Das Schwanken zwischen dem lutherischen und reformirten Glaubensbekenntniß hatte frühzeitig auch der Schulverwaltung Schwierigkeiten bereitet. Diese häuften sich, als seit der Erwerbung Schlesiens eine mit besonderer Rücksicht zu behandelnde Bevölkerung römisch-katholischer Konfession dem Staate zuwuchs. In unverkennbarem Zusammenhang damit ergingen die ersten umfassenden Schulreglements von 1763 und 1765. Schon vor hundert Jahren war sonach unser Staat darauf angewiesen, unter provinziellen und konfessionellen Gegensätzen, die Volkserziehung als eine Hauptgrundlage der Wiedervereinigung der zerrissenen Glieder des deutschen Reichs zu einem Staatsganzen zu behandeln.

Nach schweren Prüfungen war diese Aufgabe in vergrößertem Maßstab seit 1815 zurück gekehrt. Unverkennbar war auch die Erwerbung ansehnlicher katholischer Landestheile im Westen eine Veranlassung der Einsetzung einer Immediat=Kommission vom 3. November 1817 zur Entwerfung einer „Allgemeinen Schulordnung", welche nach umfassenden Vorberathungen am 27. Juni 1819 in formeller Redaction beendet wurde. Von allen Seiten Gegenstand des Widerspruchs, wurde solche indessen nach längerem Zögern von der Staatsregierung aufgegeben. Das Scheitern der Schulordnung ist, soweit ihr Verlauf bekannt geworden, zurückzuführen

1) auf die Allgemeinheit der Anlage;

2) auf die Schwierigkeit der Stellung der Schulen zu den Kirchen;

3) auf die Schwierigkeit eines gesetzlichen Maßstabs der Schullast. Die Preußische Schulverwaltung begnügte sich seit jener Zeit mit den vorhandenen Gesetzen, innerhalb deren der Minister v. Altenstein mit treuen Rathgebern wie J. Schulze und Kortüm unter politischen und kirchlichen Anfechtungen und mit sehr bescheidenen Mitteln, ein einheitliches Unterrichtswesen von der Elementarschule bis zur Universität hinauf durchgeführt hat.

Nach dem Regierungswechsel von 1840 wurde zunächst für die Provinz Preußen die schon früher begonnene Arbeit einer Provinzial=Schulordnung am 11. Dezember 1845 zu Stande gebracht, in welcher die Hindernisse der früheren Schulordnung dadurch überwunden sind, daß

1) die frühere zu allgemeine Anlage aufgegeben;

2) das Verhältniß zur Kirche in einem den persönlichen Ansichten König Friedrich Wilhelms IV. entsprechenden Sinne geordnet;

3) der Geldpunkt durch ein „enges Anschließen an die historisch gegebenen Verhältnisse" in einer dem Grundbesitz wenig fühlbaren Weise erledigt wurde.

Eine „provinzielle" Regelung dieser Verhältnisse entsprach dem damaligen politischen Grundsystem. Man ging nach diesem Muster also auch an die Bearbeitung der sieben Entwürfe für die übrigen Provinzen, fand aber überraschend wenige provinzielle Eigenthümlichkeiten, so daß die conforme Redaktion rasch beendet und nur durch die Ereignisse des Jahres 1848 unterbrochen wurde.

Inzwischen hatte der Mißmuth gegen den alternden Absolutismus seine Klagen auch auf das preußische Schulwesen ausgedehnt, welches als ein nicht auf der Höhe der Zeit gebliebenes, vielfach zurückgeschrit-

tenes von allen Seiten angeklagt, von keiner Seite nachdrücklich ver=
theidigt wurde. In stürmischem Andrang gegen die Staatsinstitutionen
hat die Gesellschaft jener Zeit, wie immer, ihre Gesichtspunkte vor=
gekehrt. Damit trat das meistbetheiligte Interesse der Volksschule
und der zahlreichen, nothleidenden Volksschullehrer in den Vordergrund;
ebenso der confessionelle Anspruch der confessionell geschiedenen Be=
völkerung auf eine „Leitung" der Schule in ihrem besonderen Sinne;
ebenso die Verschiedenheit der Interessen bei der Gestaltung der
Schullast. Unter großen Schwierigkeiten mußte die preußische Na=
tionalversammlung Formulirungen für sehr widersprechende Anforde=
rungen suchen, welche der Substanz nach auch in die späteren Ver=
fassungsentwürfe, und daraus als Art. 20—26 in die heute geltende
Verfassungsurkunde übergegangen sind.

Es kann keinen stärkeren Beweis dafür geben, daß die hundert=
jährige Gesetzgebung und Verwaltung unseres Schulwesens aus den
Grundbedingungen des deutschen Staats und des deutschen Volksgeistes
hervorgegangen, und daß sie in Fleisch und Blut übergegangen ist,
als die merkwürdige Erscheinung, daß jene aus den widersprechendsten
Meinungen hervorgehenden Formulirungen n u r d i e G r u n d s ä t z e
d e s A l l g e m e i n e n L a n d r e c h t s wiedergeben, obwohl die Poli=
tiker und die Schulmänner eine Concordienformel für die eigensten
Ideen der Zeit gefunden zu haben glaubten. Der Unterschied vom
Allgemeinen Landrecht liegt nur in der etwas vageren und zweideu=
tigeren Fassung. Die vage Fassung mußte gewählt werden, um den
socialen Ideen der Gegenwart zu entsprechen; die zweideutige, um den
entgegengesetzten Ansprüchen der kirchlichen Parteien, einschließlich der
ultramontanen, zu genügen. Man fühlte indessen, daß solche allge=
meine Sätze nicht die unmittelbare Norm der Unterrichtsverwaltung
bilden könnten, und beschloß daher gleichzeitig, den Erlaß eines „all=
gemeinen Unterrichtsgesetzes" vorzubehalten, — ein Conclusum, auf
welches sich unklare Vorstellungen zuletzt immer vereinigen. Bis zum
Erlaß des allgemeinen Unterrichtsgesetzes soll es bei den „jetzt geltenden
gesetzlichen Bestimmungen" verbleiben.

Demzufolge hat zuerst das Ministerium v. Ladenberg den
Versuch gemacht, den Anforderungen der Verfassung an ein Schul=
gesetz nach ihrem umfassenden Wortsinn zu genügen. Es wurde unter
dem 15. Mai 1850 ein vorläufiger Entwurf an die Provinzialbehörden
zur Begutachtung gegeben. Derselbe enthielt in 98 Paragraphen Be=
stimmungen über die öffentliche Volksschule, Mittelschule, Vor= und

Fortbildungsschule, über die Einrichtung neuer, die Zusammenlegung und Trennung vorhandener Volksschulen, Unterhaltung derselben, über Schulpflichtigkeit und Schulbesuch, Anstellung, Besoldung und Amtsführung der Lehrer, über Beaufsichtigung der Schulen, Vorbildung und Prüfung für das Lehramt, über das Privatschulwesen und den Unterricht nicht vollsinniger Kinder. Der Entwurf war „nicht für die Oeffentlichkeit bestimmt"; indessen forderten die kirchlichen Behörden, daß derselbe auch ihnen zur Aeußerung vorgelegt werde, und es traten alsbald die drei Schwierigkeiten hervor:

1) Die unfaßbare Allgemeinheit der Anlage, jetzt verschlimmert durch die unerfüllbaren Forderungen der sich durchkreuzenden Interessen. Eine Uebersicht von 126 Postulaten der „deputirten Lehrer der Kreiskonferenzen" aus dem Jahre 1848 enthalten die jetzt gedruckten Aktenstücke. Ein viel weiterer Katalog von Widersprüchen würde erscheinen, wenn die Ansichten über Tragung der Schullast und die verschiedenen Ansprüche auf „Leitung", „Beschließung" und Einfluß im Unterrichtswesen zusammenzustellen wären.

2) Die Widersprüche in der Stellung zur Kirche, zu deren Charakterisirung einige Sätze aus dem Schreiben des Ministers v. Ladenberg an die katholischen Bischöfe genügen:

„daß in der Preußischen Monarchie das Unterrichtswesen als ein Ganzes stets Aufgabe der staatlichen Gesetzgebung gewesen; daß der Kirche überhaupt auf dem Gebiet des Unterrichts, soweit derselbe zugleich staatlichen Zwecken dient, keine legislative Befugniß zugestanden worden; daß das neue Unterrichtsgesetz namentlich auch mit Rücksicht auf die bevorstehende parlamentarische Berathung desselben, unter allen Umständen nicht der Ort sein dürfe, um vom Standpunkt der Kirche oder des Staats, oder vom Standpunkt beider aus dogmatische und staatsrechtliche Prinzipienfragen auf- und gegeneinander über zu stellen; daß in einer Zeit, wo Kirche und Staat den gemeinsamen Kampf gegen die zerstörenden Elemente einer gott- und rechtlosen Richtung zu führen und die in ihren Vesten erschütterte Gesellschaft zu stützen berufen sind, ein Streit unter sich um nominelle Rechte nur beide schwächen und den gemeinsamen Feind stärken könnte."

3) Die Beschaffung der Geldmittel für die Verbesserung der Schulen wurde unausführbar in einer Zeit, in welcher der Staat die besitzenden Klassen, die Kirche und alle „historischen" Mächte gegen die zerstörenden Fortschrittsideen anzurufen und zu vereinigen bemüht war.

Aus persönlichen und sachlichen Gründen mußte dieser Entwurf scheitern.

Das Ministerium v. Raumer erklärte offen, daß es nicht die Absicht habe, ein Schulgesetz zu erlassen, und setzte den schon geebneten Weg fort, durch Verwaltungsmaßregeln den „confessionellen" Charakter der Schulen weiter zu bilden.

Das Ministerium v. Bethmann-Hollweg kam bona fide auf den Plan zurück, ein vollständiges Unterrichtsgesetz auf dem Boden der allgemeinen Verfassungsartikel zu erlassen. Die zu weit gefaßte Anlage, der ungelöste Widerspruch im Verhältniß zwischen Kirche und Schule, und die nothwendige Erhöhung der Schullasten, ließen jedoch nicht einmal im Schooß der Staats-Regierung einen Abschluß zu Stande kommen.

Gerade in dem nun folgenden Verfassungsstreit schien indessen das Unterrichtsgesetz um einen Schritt weiter zu rücken. Der Commissionsbericht des Abgeordnetenhauses vom 20. August 1862 gelangte zur Formulirung von 24 Sätzen, betreffend die Bildung der Volksschullehrer, ihre Besoldung und Pensionirung, Anstellung und Schulaufsicht, welche am 23. März 1863 zur Annahme im Hause kamen. Es ist die Frage, ob der Weg der Resolutionen für schwierige Gesetzes-Aufgaben überhaupt richtig, ob die mühsam formulirten Thesen sich wirklich zu Gesetzesregeln eigneten. Aus nebelhaftem Hintergrund traten aber jetzt in erkennbaren Umrissen bestimmte Postulate der liberalen Seite der Volksvertretung hervor. Noch entschiedener in der Richtung des Erreichbaren ging der Beschluß des Abgeordnetenhauses vom 6. April 1865 dahin,

> die Staatsregierung aufzufordern, einen Gesetzentwurf, betreffend die Feststellung der äußeren Verhältnisse der Volksschule, insbesondere der Lehrerbesoldungen, vorzulegen.

Uebereinstimmend damit stellte sich nun auch bei dem Ministerium v. Mühler „mehr und mehr die Erkenntniß heraus, daß je umfassender und specieller die Aufgabe des Gesetzes gefaßt werde, um so schwieriger die Bewältigung derselben durch alle Stadien der Gesetzgebung sein würde, und daß, wenn man sich für jetzt entschließe, den Blick auf das zunächst Liegende und Erreichbare zu beschränken, die Hoffnung des Gelingens eine um so größere sein werde" (Motive zum Gesetzentwurf von 1867 S. 15). Dem entsprechend wurden aus den früheren Entwürfen ausgeschieden: die Abschnitte über die Universitäten, die Gymnasien, die Seminarien und die Bildung der Lehrer, über Privatschulwesen, über das Schulwesen der Juden und Dissidenten, über die Schulaufsicht, über die Anstellung der Lehrer und deren Disziplinarverhältnisse. — Die Pensionirung der Lehrer sollte durch ein besonderes Gesetz geregelt werden. — Als wesentlicher Inhalt des neuen Gesetzes blieben: „die Bestimmungen über den Unterhalt der Schulen und die Besoldung der Lehrer, allgemeine Bestimmungen über den Zweck der Volksschule, sowie über die bei Bildung der Schulverbände nothwendige Berücksichtigung der lokalen und confessionellen Verhältnisse".

Dennoch sind auch diese in ausführbaren Grenzen vorgelegten Gesetzentwürfe nochmals gescheitert. In dem Herrenhause gelangte der Regierungs-Entwurf nur zu einem Commissionsbericht vom 11. Februar 1868, dessen engherzige Auffassungen von dem Unterrichtsminister selbst desavouirt werden. Das Abgeordnetenhaus ist in der Session von 1868/69 überhaupt zu keiner legislatorischen Berathung gelangt. Auch die Commission ist über Vor- und Nebenfragen nicht hinaus gekommen. Noch einmal ist die Unterrichtsfrage gescheitert an der Ideenbewegung auf dem Boden der Allgemeinheit, an der Unklarheit des kirchlichen Verhältnisses, an der Entschlußlosigkeit über die Behandlung der Schullast. Anstatt den wirklichen Zuständen des Elementar-Unterrichts eine Hülfe zu bringen, verläuft die Arbeit einer ganzen Session in den Streit über Aufhebung oder Nichtaufhebung eines Verfassungsartikels, über „confessionelle" oder „confessionslose" Schulen, und in eine Aufforderung an die Staatsregierung, „daß sie die 3 früheren Entwürfe eines Unterrichtsgesetzes zur Information vorlege, zugleich zur Erwägung der Frage, ob der Erlaß eines vollständigen Unterrichtsgesetzes nach Art. 26 der Verfassung in der That so unmöglich erscheine, wie die Staatsregierung immer noch annimmt."

Diesem Verlangen ist nunmehr genügt, und die von dem Unterrichtsminister veröffentlichte „Gesetzgebung auf dem Gebiet des Unterrichtswesens in Preußen vom Jahre 1817—1868 — Aktenstücke mit Erläuterungen, Berlin 1869", schließen mit den Worten:

„So wäre die Frage wegen gesetzlicher Regelung des Unterrichtswesens in Preußen auf ihren Ausgangspunkt im Jahre 1817 zurückgeführt. Die Darlegung aber einer mehr als fünfzigjährigen Arbeit auf diesem Gebiet, giebt Bürgschaft, daß es nicht nochmals eines Zeitraumes von funfzig Jahren bedürfen wird."

Die Art und Weise, in welcher eine mit gesteigerten Erwartungen begonnene Landtagsfitzung für das Schulwesen so gut wie verloren ift, wird in der That die öffentliche Meinung geneigter ftimmen, ge= wiffe Grundmängel deutfcher Reformbeftrebungen anzuerkennen und künftig zu verbeffern, welche auf dem Gebiet der kirchlichen und Unter= richtsfragen so fühlbar hervortreten. Es ift dies an erfter Stelle die Kreisbewegung des Streits auf dem Gebiet der Allgemeinheiten, welche an den wirklichen Staat und seine Bildungsanftalten gar nicht heranreichen, und im Zufammenhange damit die Meinung, als ob die fchwierigften Fragen der Gefetzgebung sich durch anfpruchsvolle „Re= folutionen" löfen ließen.

Es wird nach diefem negativen Refultate wohl geftattet sein, daran zu erinnern, daß wir in einem Lande leben, in welchem Univer= fitäten, gelehrte, Mittel= und Volksschulen nach einem einheitlichen Plan längft durchgeführt sind; daß ein preußisches Unterrichtswesen nicht erft erfunden werden soll; daß das vorhandene sogar nach dem umfaffenden Urtheile Außenftehender für das relativ befte gilt. Die deutfche Neigung, fremde, faft nur vom Hörenfagen bekannte Einrich= tungen für beffer zu halten, als die bekannten eigenen, ift eine Schwäche die wir mit dem Wiedererwachen nationalen Selbftgefühls ablegen follten. Die individuelle Willkür, welche unfere überkommenen Staats= inftitutionen als nicht vorhanden annimmt, und bei geringfügiger Veranlaffung den geduldigen Zuhörern eine neue Staatsidee vorführt, hat auch unfer Schulwesen so behandelt, als ob Gefetze darüber nicht vorhanden, als ob das Schulwesen in parlamentarifchem Streit oder Uebereinkommen mit dem Unterrichtsminifter erft durch Fraktionsbe= fchlüffe feftzuftellen wäre.

Verlaffen wir also endlich den Boden der Allgemeinheit, befchei= den wir uns, daß das was gefchehen muß, auf die Ausführung und Ergänzung schon beftehender Gefetze sich befchränkt, so werden wir im Verlauf diefer Darlegung vielleicht das zweite Hinderniß über= wältigen, um dann an das dritte zu gelangen — die Befchaffung der Geldmittel.

II.

Das gesetzliche Verhältniß der Schule zur Kirche.

Die preußische Verfassung sagt: „bis zum Erlaß des im Art. 26 vorgesehenen Gesetzes bewendet es hinsichtlich des Schul= und Unterrichtswesens bei den jetzt geltenden gesetzlichen Bestimmungen". Die Art. 20—26 der Verfassungs=Urkunde enthalten also nur ein Zukunfts= recht, soweit die Interpretation darin überhaupt etwas zu finden ver= mag, was nicht schon in den bestehenden Landesgesetzen enthalten ist. Da aber über kurz formulirte Sätze leichter zu streiten ist, als über zerstreute Landesgesetze, so kommt der etwas im Schatten stehende Art. 112 der Verfassungs=Urkunde gewöhnlich in Vergessenheit. Aller Streit beschränkt sich auf die bekannten Artikel, und kehrt immer wieder in das bequeme Fahrwasser zurück.

Welches sind nun aber die bestehenden Gesetze?

Der Minister des Unterrichts, wie schon seine Vorgänger, pflegen sich auf den westphälischen Frieden, auf den Reichsdeputations=Haupt= schluß von 1803 und auf Herkommen zu berufen, und daraus den Charakter der preußischen Schulen als confessioneller Anstalten als erwiesen vorauszusetzen.*) Diese Voraussetzung bedarf vor Allem der Prüfung.

Es ist im Allgemeinen bekannt, wie das Schulwesen des Mittel= alters als ein Theil und Ausfluß des Lehrberufs der Kirche entstanden ist, wie die Anfänge der Parochialschulen sich an den Küster als Ge= hülfen des Pfarrgeistlichen anschließen: ut quisque presbyter, qui plebem regit, clericum habeat, qui secum cantet, et epistolam et lectionem legat, et qui possit scholas tenere, cap. 3 de

---

*) „Das höhere Schulwesen wurde zur Zeit des westphälischen Friedens und noch zur Zeit des Reichsdeputations=Hauptschlusses in dem Maße als ein Annexum der kirchlichen Gliederung angesehen, daß es in diesen genannten Reichsakten als Pertinenz derjenigen Religionspartei bezeichnet wurde, welcher ein größeres oder geringeres Maß von Berechtigung in einem Lande zuerkannt wurde. Wenn in einem Lande einem der beiden Bekenntnisse der öffentliche Religions=Status ga= rantirt war, so wurde ihm gleichzeitig damit nicht nur der Besitz seiner kirchlichen Anstalten, sondern auch die damit verbundenen Unterrichtsanstalten als ein recht= mäßiger confessioneller Besitz garantirt". (v. Mühler, Stenogr. B. des Abg.=Hauses 1868/9 S. 694.)

vita et honest. cleric. (3, 1). Ebenso bekannt ist die Erweiterung des Unterrichtswesens durch die inneren und äußeren Klosterschulen und durch die Thätigkeit der lehrenden Orden der späteren Zeit. Die einzelnen Städten ertheilten Schulprivilegien verstanden sich als Ver= leihungen innerhalb der bestehenden Kirchenverfassung.

Die Reformation hat dies Verhältniß, in Deutschland wie in England, zunächst unverändert gelassen. Die Schule war und blieb ein Anhang der Kirche nach Vermögen, Personal und Verwal= tung. Luther hatte zwar schon das bedeutungsvolle Wort gesprochen, „daß die Obrigkeit schuldig, die Eltern anzuhalten, daß sie ihre Kinder zur Schule zu halten." Es war das aber nicht der Ausspruch des Gesetzgebers, sondern des Reformators, — ein Postulat der Kirche an den Staat. Das Reformationszeitalter setzte noch immer voraus, daß der Landesherr der rechten Kirche angehöre, daß eine Kirche, die rechte Kirche, im Lande herrsche, — ein Verhältniß, in welchem die Schule der Kirche incorporirt blieb unter Schutzherrlichkeit des Landesherrn. Noch der westphälische Friede (Art. V. § 31) betrachtet demgemäß die »institutio ministeriorum scholasticorum« als ein Annexum des Religions=Exercitiums.

Die kirchliche Schule, evangelischen wie katholischen Bekennt= nisses, beruht auf folgenden 4 Merkmalen:

1) daß der Religionsunterricht ihr Hauptgegenstand ist, für die Volksschule möglicherweise der einzige Gegenstand;

2) daß alle Lehrgegenstände auch außer dem Religions= unterricht: Sprachen, Literatur, Geschichte, Geographie, Naturwissen= schaften, untergeordnet bleiben müssen den höchsten Religionswahr= heiten, durchdrungen von kirchlichem Geist, untergeordnet dem Er= ziehungszweck der kirchlichen Lehre;

3) daß das Lehrpersonal der kirchlichen Confession angehören muß, da die Anstalt selbst kirchliches Institut ist; in einigen Schul= ordnungen, wie der Cleve'schen von 1687 wurde dies ausdrücklich gesagt, in den übrigen als selbstverständlich vorausgesetzt;

4) daß die Oberaufsicht und die Entscheidungsgewalt über streitige Fragen (jurisdictio) der Kirche aus eigenem Recht ge= bührt und mit der geistlichen Hierarchie als solcher verbunden erscheint.

In diesen Punkten liegt die Bedeutung der kirchlichen Schule, die man auch confessionelle Schule nennen mag, aber sogleich mit einer Erinnerung daran, daß dies Wort unseren Gesetzen fremd ist.

Dies System der kirchlichen Schulen ist aber in Preußen abgeändert schon seit 150 Jahren durch König Friedrich Wilhelm I., und dann weiter durch drei untrennbare, stetig fortschreitende gesetzliche Prinzipien.

1) Der entscheidende Schritt zur Aufhebung des confessionellen Systems der Schulen war die Einführung des gesetzlichen Schulzwanges durch die Edikte Königs Friedrich Wilhelm I. vom 28. September 1717 und vom 19. September 1736. Es war nunmehr der Gesetzgeber, nicht mehr die kirchliche Obrigkeit, welche den Zwang aussprach. Der Staat proclamirte damit den höheren Grundsatz, welcher in Deutschland an die Stelle des mittelalterlichen Glaubens- und Kirchenzwangs zu treten bestimmt war. Die rechtlichen Folgen des neuen Grundsatzes traten Anfangs freilich wenig erkennbar hervor, so lange in Folge des jus reformandi die Religion des Landesherrn auch die Religion des Landes war und die Confessionen local gleichmäßig schichtete. Erst die definitive Erwerbung der Provinz Schlesien nöthigte den preußischen Gesetzgeber zur sorgfältigen Beachtung des Widerstreites, welcher nun entstand, wenn in ein und derselben Schule und Schulgemeinde Kinder verschiedener Confessionen in einem Unterrichtsplan zwangsweise vereinigt wurden. Auf die darüber gegebenen Vorschriften wird unten zurückzukommen sein. In noch größerem Maßstab trat der treibende Gegensatz ein durch den Reichsdeputations-Hauptschluß von 1803, welcher die Mischung katholischer und evangelischer Glaubensgenossen in die Mehrzahl der deutschen Territorien einführte. Unter solchen Verhältnissen wurde es immer einleuchtender, daß die Schule, in welche der Staat von Staats wegen die Jugend des Landes hineinzwingt, nicht mehr die kirchliche Schule sein kann. Es widerspräche das ebenso sehr dem Wesen des Staats, wie dem Wesen der Kirche. So wenig der Staat evangelische Kinder in katholische Kloster- und Stiftsschulen, so wenig darf er katholische Kinder in Schulen hineinzwingen, in denen der Heidelberger oder Luther's Katechismus die entscheidende Grundlage alles Unterrichts sein soll. Es wird sichtbar, daß mit dem ausgesprochenen Schulzwang der Staat die Pflicht zur unmittelbaren Leitung des gesammten Schulwesens übernommen hat, um der Schule die Gestalt zu geben, in welcher auch Kinder anderer Confession ohne Gewissensdruck an dem Unterricht der Wissenschaften Theil nehmen können. Der rechtliche Schulzwang erstreckt sich zwar nur auf die Elementarschule; der thatsächliche

Schulzwang aber auch auf die höheren, da die Eltern in der Regel nur die nächstgelegene Anstalt wählen können. Mit Ausnahme von 6 Städten findet in dieser Beziehung auch heute noch keine Auswahl zwischen einem sog. evangelischen und einem sog. katholischen Gymnasium oder zwischen zwei derartigen Realschulen statt. Die Durchbildung des preußischen Unterrichtssystems mußte daher auch in dieser Richtung dahin führen, die für die Elementarschule geltenden Grundsätze auch in den höheren Schulen durchzuführen. Unter dem System des Schulzwanges werden deßhalb alle öffentlichen Schulen nothwendig zu „Veranstaltungen des Staats“. Dies ist auch der Grund der Feindschaft der kirchlichen Parteibestrebungen gegen unser Schulsystem; in der belgischen Verfassung hat diese Richtung sogar ein grundgesetzliches Verbot des Schulzwanges durchgesetzt. Dies ist es, was die ultramontane Partei zur Vorfechterin des „freien Unterrichts“ gemacht hat. In diesem Sinne wurde auch in dem Abgeordnetenhause von einer weitersehenden Seite „die Aufhebung des Schulzwanges und aller seiner Folgen“ und „die volle Unterrichtsfreiheit für Jedermann“ leise angedeutet. Der Staat wie die Kirche vermögen aber ihre höchsten Aufgaben, wenn sie einmal ergriffen und ausgesprochen sind, nicht mehr aufzugeben. Die K.=O. vom 14. Mai 1825 dehnte den Schulzwang auch auf die Provinzen aus, in welchen das Allgemeine Landrecht nicht gilt. Ja das Staatsprinzip waltete so unwiderstehlich, daß unter einer entgegengesetzten Strömung, auf dem Höhepunkt christlich=germanischer Staatsanschauung, noch einmal das Gesetz vom 23. Juli 1847 den Grundsatz proclamirte:

§ 60. Die Juden sind schuldig, ihre Kinder zur regelmäßigen Theilnahme an dem Unterricht in der Ortsschule während des gesetzlich vorgeschriebenen Alters anzuhalten.

§ 63. Zur Unterhaltung der Ortsschulen haben die Juden in gleicher Weise wie die christlichen Gemeindeglieder beizutragen.

§ 64. Eine Absonderung von den ordentlichen Ortsschulen können die Juden in der Regel nicht verlangen.

Es läßt sich daran ermessen, bis zu welchem Maße unwiderstehlich der Schulzwang bereits an dem preußischen Staatswesen haftete mit allen seinen Folgen.

2) Daran reiht sich als zweiter Grundsatz die Parität der anerkannten Kirchen in Preußen. Als die Staatsgewalt den Schulzwang einführte, mußte sie ihre Stellung zur Kirche nehmen nach den gegebenen Verhältnissen. Das vorgefundene Verhältniß war eine seit tausend Jahren festgewurzelte Regierung der Kirche über die

Schule, eine tief verwachsene Verbindung ihres untern Personals und ihres Vermögens, als selbstverständlich feststehend auch in den Gewohnheiten des Volkes. Mehr als 99 Procent der Bevölkerung gehörten entweder der lutherischen, oder der reformirten, oder der katholischen Kirche an (wie ungefähr noch heute). Der Staat konnte nicht daran denken, die so gestellten Kirchen aus der Schule zu drängen, sondern nur sie einer gemeinsamen Leitung zu unterwerfen. Dem Religions=unterricht der Kirche mußte daher der alte Besitzstand gewahrt werden, als wesentlicher Theil eines jeden Unterrichtsplans. Die aus dem westphälischen Frieden den beiden Religionstheilen erwachsenen Rechts=ansprüche sind in der preußischen Gesetzgebung bestätigt, erhalten und erweitert worden: sie haben aber ihren exclusiven Charakter verloren. Der Rechtsgrundsatz der Parität gestattet nirgends mehr, den andern Religionstheil von der Wohlthat des öffentlichen Schulunterrichts aus=zuschließen (A. L. R. II, 12 § 10). Die dadurch beiden Theilen zu=gemuthete Toleranz wird überreichlich vergolten durch die an einer andern Stelle gewährten neuen Rechte, welche nun das vorhandene Bedürfniß überall gleichmäßig befriedigen, soweit das Geltungsgebiet unserer Gesetzgebung reicht. Erhalten blieb dabei auch die hergebrachte, dem Staat selbst unentbehrliche Mittelstellung der localen Geistlichkeit als Aufsichtspersonal der Schule. Es ergab sich daraus die Noth=wendigkeit umfassenderer Schulordnungen, welche zuerst noch gesondert für die lutherischen und reformirten, seit dem dritten schlesischen Kriege auch für die katholischen Schulsysteme erlassen wurden. Durch die gleichförmige Anwendung derselben Grundsätze in solchen Parallel=verordnungen reifte dann die Gesetzgebung bis zum Ausspruch durch=greifender Grundsätze in dem Allgemeinen Landrecht heran. Vergleich=bar den sonstigen Uebergängen aus der mittelalterlichen in die neuere Staatsordnung, war das Resultat nicht Depossedirung, wohl aber Mediatisirung der kirchlichen Regierung über die Schule. Sie war geboten durch die Unmöglichkeit, eine souveräne Regierung dreier sich widerstreitenden und bekämpfenden Kirchen fortdauern zu lassen. Mit dieser Mediatisirung tritt die regierende Kirche in die Stellung der anerkannten Kirche über, welche ihren Religionsunterricht als obligatorischen Theil des Unterrichtsplanes in der öffentlichen Schule festhält. — Die redlich erstrebte Gleichheit ist es, welche von dieser Seite aus das Unterrichtswesen zur Staatssache macht; denn die sich bekämpfenden Kirchen können zur Rechtsgleichheit im Gebiet des äußeren Lebens nicht anders gelangen als dadurch, daß der Staat die Führung in den äußeren gemeinsamen Dingen übernimmt. Der

preußische Staat hat seit jener Zeit in der That mit einer Unpartei-
lichkeit, für welche es in Europa kein zweites Beispiel giebt, Gleichheit
der anerkannten Kirchen im Gebiete des Unterrichts erstrebt und
immer consequenter weitergeführt, je größer die Zahl seiner Unterthanen katholischer Confession wurde. Die Parität fand eine
Grenze nur in dem Maß des Ausführbaren. Der Religionsunterricht
der anerkannten Confessionen mußte Privatunterricht bleiben, wo die
Zahl der Kinder der andern Confession so gering war, daß ein besonderer Lehrer dafür nicht beschafft werden konnte. Innerhalb der
Grenzen des Ausführbaren aber wurde die paritätische Stellung in
Doppelbildungen durchgeführt bis zu den theologischen Fakultäten
hinauf. In Unterordnung unter den Staat sind die ehemaligen Staats-
funktionen der Kirche in anerkannte Forderungen der Kirche an den
Staat übergegangen, — gleich unter sich, — ungleich gegen die
geduldeten Bekenntnisse, deren Religions-Unterricht Privatsache bleibt.

3) Zu diesen Gründen der Staatsleitung trat immer dringender
ein dritter: der Staat hatte für den nothwendigen Unterhalt der öffentlichen Schule, theils mittelbar, theils unmittelbar zu sorgen. — Die Kirche hat in keinem Menschenalter die Mittel
erübrigen können, ein öffentliches Unterrichtswesen in einem den Bedürfnissen einer größeren Bevölkerung entsprechenden Maßstab zu schaffen.
Nach der Auffassung der Kirche enthält Cultus, Seelsorge und allen-
falls die Predigt das Wesentliche des Volks-Unterrichts, neben welchem
aller andere Unterricht als Nebensache, wenn nicht gar als vom Uebel
erscheint. Es liegt einmal unabänderlich in der Natur der Kirchen-
regierung, daß sie die kirchlichen Bedürfnisse den Schulbedürfnissen
voranstellt, die Dotirung ihres höheren Personals der des dienenden.
Der Kirche ist deßhalb die gleichmäßige Durchführung eines allgemeinen
Unterrichtssystems niemals gelungen. Ihre höheren und niederen Anstalten beruhten auf Stiftungen, welche den späteren Bedürfnissen gegenüber einen sporadischen Charakter an sich trugen. Ueberall wo eine
Staatskirche herrschend geblieben, hat sie die Elementarschule zu einem
verkümmerten Anhang ihrer glänzenden Institutionen gemacht. Ueberall
wo die reale Herrschaft kirchlich-politischer Parteien über den Staat
noch besteht oder wiederauflebt, besteht die Elementarschule in ähnlicher
Gestalt. Ein zusammenhängendes Unterrichtswesen von der Volksschule bis zur Universität konnte also nur der Staat bilden, durch
Staatszwang, Staatsmittel, Staatsförderung, indem er von unten herauf
die Hausväter, Schulsocietäten, Gemeinden zu einem System von Steuern
und Schulgeldern nöthigte, und die dazu nöthigen Besteuerungsrechte,

Zwangseintreibungen und Berechtigungen verlieh. Es ist einleuchtend, daß auch dieser Grundsatz das System der kirchlichen Schulen ausschließt. Der Staat kann nicht katholische, evangelische, jüdische Confessionsverwandte zwingen, Schulhäuser zu bauen und Lehrer zu besolden, welche einer ihnen fremden kirchlichen Einrichtung zugehören. Der Staat hat das Recht der Besteuerung und des Zwanges nur zu staatlichen Einrichtungen; auch die Gemeinden können aus diesem Grunde das Schulwesen nur als staatliche Funktion handhaben nach dem System des selfgovernment.

Diese schrittweise entfalteten Grundsätze des preußischen Unterrichtswesens haben ihre Zusammenfassung gefunden im Allgemeinen Landrecht Theil II, Tit. 12.

Der leitende Grundsatz ist an die Spitze gestellt:

„daß alle öffentlichen Schulen Veranstaltungen des Staates sind." (§ 1.)

Darauf folgen die drei Grundprinzipien:

1) der Schulzwang § 43 ff.;

2) die Parität der anerkannten Kirchen, durchgeführt im Tit. 11, 12 und in den Schulreglements;

3) der Grundsatz der Unterhaltung des Schulwesens von unten herauf als gemeine Last:

§ 29. Die Unterhaltung der Lehrer liegt den sämmtlichen Hausvätern jedes Orts ob ohne Unterschied des Glaubensbekenntnisses.

§ 34. Auch die Unterhaltung der Schulgebäude muß als gemeine Last getragen werden.

§ 38. Kein Mitglied der Gemeinde kann wegen Verschiedenheit des Religionsbekenntnisses dem Beitrage zur Unterhaltung solcher Gebäude sich entziehen.

Trotz aller Variationen liegt dieser Charakter der gemeinen Last auch den Provinzial- und Localverordnungen zu Grunde. Darauf allein beruht auch die Legalität unserer städtischen Schuleinrichtungen, die massenhafte Verwendung städtischer Steuern und städtischer Einkünfte zu Schulzwecken.

In Correspondenz mit der gemeinen Last steht das gemeine Recht des Schulbesuchs in § 10:

„Niemanden soll wegen Verschiedenheit des Glaubensbekenntnisses der Zutritt in öffentlichen Schulen versagt werden."

Der logische Sinn unserer landrechtlichen Codifi-

kation zeigt sich in der gesammten Redaction der Titel XI und XII. *)
Das schwierige Verhältniß der Parität hat den Gesetzgeber veranlaßt,
im Tit. XI das den Kirchen Gemeinsame, soweit es möglich, durch
abstrakte Bezeichnungen voranzustellen. Der Gegensatz der kirchlichen
Verfassungen nöthigt ihn dann aber in jeder Hauptmaterie die Be-
sonderheiten des lutherisch = reformirten und des katholischen Kirchen-
wesens folgen zu lassen. Der gesammte Titel „von den Kirchen" behält mit einigem Widerstreben den dualistischen Charakter bei. —
In Tit. XII vom Schulwesen dagegen ist dieser Dualismus spurlos getilgt. Hier ist weder von evangelischen noch ka-

---

*) Die bei dem königlichen Justizministerium vorhandenen Materialien des
Allg. Landrechts ergeben, daß bei der ersten Anlage des Gesetzbuchs nur einige
dürftige Bestimmungen über niedere und höhere Schulen beabsichtigt wurden, welche
als Abschnitt XV den Schluß des Titels von den Kirchen bilden sollten. Die
eigentliche revisio monitorum darüber fehlt. Im Verlauf der Arbeit sind aber den
leitenden Männern die schon vorhandenen Schulreglements, welche gerade auch in
Schlesien die für den preußischen Staat bedeutungsvollen Grundsätze entwickelt
hatten, vor Augen getreten. Wir finden nun von dem Großkanzler von Car-
mer persönlich die Grundzüge des Schulrechts gezeichnet in erster Skizze vol. XV.
fol. 279. 280.

§. Schulen und Universitäten sind Veranstaltungen des Staats, welche
den Unterricht junger Leute in nützlichen Kenntnissen und Wissenschaften zum Gegenstand haben.

§. Dergleichen Anstalten können ohne Vorwissen und Genehmigung des
Staats nicht errichtet werden.

§. Dem Staat gebührt das Recht die Art des Unterrichts zu bestimmen.

§. Gemeine Schulen sollen unter Aufsicht und Direction der Geistlichkeit jedes Kirchspiels stehen.

§§. Die Unterhaltung liegt den Einwohnern jedes Orts ob nach Verhältniß der gemeinen Abgaben.

§. Gegen deren Erlegung sind sie vom Schulgeld befreit.

§. Gesetzlicher Schulzwang vom vollendeten fünften Jahre an ꝛc. ꝛc.

Auf dieser Grundlage trat nun die gewöhnliche Durcharbeitung des Entwurfs
mit Suarez ein und zwar in Gestalt eines besonderen Titels. Einzeles wurde
noch später eingefügt. In der Beantwortung der Monitorum vol. 76 fol. 370
bemerkt der Geheimerath von Grolmann:

„Die geistlichen Obern sind nicht immer die besten Aufseher über Schulanstalten. Sie können vermeintliche Mißbräuche anzeigen, ob sie aber ab-
zustellen sind, wird besser der Beurtheilung der nicht geistlichen zu überlassen sein."

In gleichem Sinne äußert sich Suarez in der Revision sämmtlicher monitorum vol. 80 fol. 160. Es wurden demgemäß die „Gerichtsobrigkeiten" in die
Localinspection der Schule aufgenommen, die staatlichen Schulbehörden als Ober-
instanz u. s. w. Der § 10 A. L. R. II, 12 betreffend den Zutritt aller Kinder
ohne Unterschied der Confession ist von Suarez a. a. O. S. 160 eingefügt.

2*

tholischen Schulen, weder von Schulen evangelischer noch katholischer Confession, noch von irgend einer confessionellen Bezeichnung
die Rede. Die Worte „katholisch", „evangelisch", „lutherisch = reformirt"
sind in dem Tit. XII verschwunden, selbst um den Preis einer etwas
gezwungenen Weise des Ausdrucks, wie im § 11:

> „Kinder, die in einer andern Religion, als welche in der öffent-
> lichen Schule gelehrt wird, nach den Gesetzen des Staats erzogen
> werden sollen, können dem Religions = Unterricht in derselben beizu-
> wohnen nicht angehalten werden."

Die einzige Gesetzes = Bestimmung, welche getrennte Schulen für die
Einwohner verschiedener Confessionen an einem Ort als zulässig
voraussetzt, drückt sich in folgender Weise aus:

> § 30. „Sind jedoch für die Einwohner verschiedenen Glaubens-
> bekenntnisses an einem Orte mehrere gemeine Schulen errichtet: so
> ist jeder Einwohner nur zur Unterhaltung des Schullehrers von seiner
> Religionspartei beizutragen verbunden."

Ueberall, wo der Titel „von niederen und höheren Schulen" eine
Beziehung zum Religions=Unterricht und eine Heranziehung der Geistlichkeit als Hülfspersonal des Staats für die Schulaufsicht nicht ver-
meiden konnte, ist ein vom XI. Titel abweichender Sprachgebrauch
gewählt, in welchem nur die Ausdrücke, „Geistliche", „Kirchenvorsteher",
„die dem Schulwesen der Provinz vorgesetzte Behörde", „geistliche Schulvorsteher" gebraucht, jede Erwähnung des katholischen Bischofs, des
evangelischen Consistoriums, jede Beziehung der Unterrichts=Anstalten
auf die Hierarchie der Kirchen vermieden ist. Auch der Ausdruck
Schulpatron und Schulpatronat ist sorgfältig vermieden, um nicht
unberechtigte Analogien der Kirchenverfassung heranzuziehen.

Keine andere deutsche Gesetzgebung hat wohl mit solcher Consequenz in Wortfassung und Grundsätzen die Schule als eine „Veranstaltung des Staats" durchgeführt. Seltsamerweise müssen unsere
Zeitgenossen daran erinnert werden, daß diese Grundsätze als publi-
cirtes Landesrecht in Wirksamkeit bestehen, daß die dem widersprechen-
den älteren Grundsätze dadurch abgeändert sind, daß auch die provinziellen Schulreglements sich dazu nur als Enclaven verhalten, welche
nach der ratio des allgemeinen Gesetzbuchs ausgelegt, angewandt und
ergänzt werden müssen, daß die in Provinzialgesetzen gelegentlich vor-
kommenden Abweichungen nur Ausnahmen für die engere Sphäre ihres
Geltungsgebietes bilden.

In welchem Maß diese Grundsätze zu den Lebensbedingungen
deutscher Staatsbildung gehören, ist zu ermessen an den Perioden ent-
gegengesetzter politischer Strömung. In jener Zeit, in welcher die

Staatsgewalt von Feinden der staatlichen Ordnung umgeben und der kirchlichen Hülfe zu ihrer Rettung bedürftig zu sein glaubt, schreibt doch der Minister v. Ladenberg an die katholischen Bischöfe:

„Die Organisation des Unterrichtswesens ist stets und ohne Ausnahme Aufgabe der staatlichen Gesetzgebung gewesen. Nicht nur die Principia regulativa für Ostpreußen vom Jahr 1736, das General-Land-Schul-Reglement von 1763, der Titel 12, Th. II des Allg. Landrechts und die Schulordnung von 1845 für die Provinz Preußen, sondern auch die lediglich das katholische Schulwesen in der Provinz Schlesien betreffenden Reglements von 1765, 1800 und 1801 geben hierfür Zeugniß. — Der Kirche ist überhaupt auf dem Gebiete des Unterrichts, soweit derselbe zugleich staatlichen Zwecken dient, keine legislative Befugniß zugestanden worden."

Durch den tiefgehenden deutschen Reformationskampf ist unsere Staatsbildung über den Grundsatz der bloßen Toleranz hinaus zu dem schwierigeren Verhältniß der Gleichberechtigung anerkannter Kirchen gedrängt worden. Zugleich ist das höchste Prinzip der mittelalterlichen Kirche zum Staatsprinzip geworden in dem Grundsatz des Schulzwangs. In der gehobenen Stimmung der Zeit hat das Promemoria des Staatsraths Süvern von 1817 diesen Gedanken in seiner ganzen Tragweite an die Spitze einer Allgemeinen Schulordnung gestellt:

„Jeder Staat wirkt durch seine ganze Verfassung, Gesetzgebung und Verwaltung erziehend auf seine Bürger ein, ist gewissermaßen eine Erziehungsanstalt im Großen, indem er unmittelbar durch Alles, was von ihm ausgeht, seinen Genossen eine bestimmte Richtung und ein eigenthümliches Gepräge des Geistes wie der Gesinnung giebt."

Der Grundgedanke, daß der Staat ein Recht habe, die Erziehung der Jugend zur Sittlichkeit und Tüchtigkeit zu erzwingen, daß die Verwilderung und Verdummung des aufwachsenden Geschlechts durch Versäumung der Elternpflicht als strafbar zu behandeln sei, war keineswegs ein neuer. Aber die Durchführung dieses Gedankens in Verbindung mit der allgemeinen Wehrpflicht, und seine Ausdehnung auf den Religions-Unterricht unter voller Schonung der Gewissensfreiheit, bezeichnet eine eigenthümliche Größe der Conception. Wer nach dem Maßstab unserer Erfahrung und unserer Erfolge die in England, Belgien und Holland über diese Frage geführten Verhandlungen unbefangen verfolgt, wird ohne Ueberhebung sich der Ueberlegenheit dieser Staatsbildung über andere bewußt werden.

Ein Staat, der die höchste sittliche Aufgabe menschlicher Gemeinschaft einmal seinen Grund=Institutionen einverleibt hat, kann solche nicht mehr aufgeben, ohne sich selbst aufzugeben. Er kann nicht ab= danken, auch wenn ein König selbst dies wollte aus idealistischer Vor= liebe für die „Selbständigkeit" seiner Kirche. Er kann noch weniger abdiciren zu Gunsten katholischer Bischöfe und kirchlicher Parteien. Gerade diese schwierige, groß gedachte Aufgabe giebt der deutschen Staatsbildung ihre eigene Stellung in der uns umgebenden europäischen Welt. Was an diesem Schulwesen zu bessern ist, wird nicht durch Ver= einbarungen mit dem evangelischen Ober=Kirchenrath und den katholi= schen Bischöfen, sondern durch verfassungsmäßige Staatsgesetze zu ändern und zu bessern sein.

III.
Die gesetzmäßige Verwaltung des Unterrichtswesens in Preußen.

Die preußische Gesetzgebung hat nur die drei leitenden Grundsätze des Schulzwangs, der Parität und der Schul=Unterhaltungspflicht und den dazu gehörigen Rahmen der erzwingbaren Berechtigungen und Verpflichtungen gegeben.

Die Regulativgewalten der Central= und Provinzial=Behör= den mußten diesen Rahmen ausfüllen. An manchen Punkten war selbst das Gebiet der erzwingbaren Berechtigungen und Verpflichtungen nach Analogie der obersten Grundsätze zu ergänzen. Vor Allem war es Aufgabe der Regulative, durch die Lehrpläne und die Bildung des Lehrpersonals der Schule Geist und Leben zu verleihen; denn Lehr= und Studienpläne lassen sich nicht gesetzlich fixiren, ohne mit den Grundbedingungen des geistigen Lebens in Widerspruch zu kommen.

Das daraus hervorgehende Verwaltungssystem konnte nur den Gang einer Organisation von oben nach unten verfolgen.

Die Central=Behörden des XVIII. Jahrhunderts hatten eine nach heutigen Begriffen bunt zusammengesetzte, überwiegend colle= gialische Gestalt, in welcher viele sogenannte „Staatsminister" nur die Stellung von Staatsräthen einnahmen. Das Provinzial= und Real=System lagen noch nebeneinander. Ein schonender Uebergang in die neue Ordnung der Dinge wurde dadurch gewahrt, daß diese

Behörden analog den Gerichten wesentliche Garantien einer „Juris=
diction" über das öffentliche Recht darboten, vergleichbar dem franzö=
sischen conseil d'état, freilich um den Preis einer gewissen Schwer=
fälligkeit. Die starke Betheiligung der Justizminister und die zusammen=
gesetzte Gestalt der Central=Verwaltung ließ es zulässig erscheinen, im
Kirchen= und Schulwesen auch die katholische Seite im Allgemeinen
gleichmäßig einzufügen.

Die Provinzial=Verwaltung des Schulwesens war meistens
den „Consistorien" untergeordnet, in welchen die alte Zugehörigkeit
der Schule zur Kirche mehr der Form nach fortdauerte, da in der
Wirklichkeit die Consistorien aus den Räthen der Landes=Justiz=Collegien
mit Beiordnung einiger geistlichen Räthe bestanden. Diese Zusammen=
setzung ließ es als zulässig erscheinen, auch mancherlei kirchliche und
Schulsachen katholischer Seite diesen Behörden, wie den Kriegs= und
Domainenkammern zu überlassen, vorbehaltlich der Rechte der katho=
lischen Bischöfe, welche dem Staatsgrundsatze der Parität und des
Schulzwanges schonend eingeordnet sind. Denselben Charakter einer
gemischten Behörde behielt auch das 1787 zum Ober=Consistorium
erhobene Consistorium der Kurmark Brandenburg. In Anerkennung
der selbständigen Gesichtspunkte der Unterrichts=Verwaltung wurde
in demselben Jahre auch ein Ober=Schulkollegium gebildet, so daß
neben dem Hauptkörper der Central=Verwaltung noch zwei collegialische
Central=Behörden für Kirchen= und Schulsachen in nebengeordneter
Stellung bestanden.

Am conservativsten gestaltete sich die Local=Verwaltung, in
welcher die Zugehörigkeit der Schule zur Kirche in dem Inspektions=
personal, in der Verbindung des Küster= und Schullehreramts und
mancherlei Einkünften und gemeinsamen Localen fortdauerte. Auch
nachdem die größeren Territorien sämmtlich eine confessionell=gemischte
Bevölkerung erhalten hatten, wohnte doch in der Regel die Bevölkerung
der kleineren Landesgebiete und Ortschaften confessionell geschichtet
neben einander. In den lutherischen, reformirten, katholischen Städten
und Dörfern wurde noch immer der erste Unterricht durch den der Parochie
angehörigen Küster und Lehrer ertheilt, und da die dürftig ausgestattete
Elementarschule in der Regel nur einen Lehrer haben konnte, so er=
gab sich eine confessionelle Einheit von Lehrern und Schülern als die
thatsächliche Regel des Schulwesens von unten herauf.

Auf dem Boden dieser thatsächlichen Verhältnisse folgt nun auf
die Publikation des Allgemeinen Landrechts ein Menschenalter der
Conformität der Unterrichts=Verwaltung mit der Landes=

gesetzgebung, im Ganzen zusammenfallend mit der Regierungszeit Königs Friedrich Wilhelm's III. Die legale Unterrichts-Verwaltung formirt sich in folgenden vier Richtungen.

I. Der Religionsunterricht ist als obligatorischer Theil des Lehrplans der öffentlichen Schule ausnahmslos anerkannt. Kinder anderer Confession, als der in der Schule gelehrten, sind aber gesetzlich von der Theilnahme daran entbunden. An eine Trennung desselben von dem wissenschaftlichen Unterricht in gesonderten Anstalten konnte schon aus praktischen Gründen nicht gedacht werden; denn es wäre daraus ein Doppelsystem von Schulen hervorgegangen, während die vorhandenen Mittel und Lehrkräfte nur auf das knappste ausreichten, um eine Ortsschule zu erhalten. Aus pädagogischen Gründen konnte die Schulverwaltung die Auseinanderreißung nicht wollen; denn sie hätte damit dem befruchtenden Einfluß des religiösen Elements auf das wissenschaftliche, des wissenschaftlichen auf das religiöse entsagt. Aus politischen Gründen konnte sie kein Doppelsystem wollen; denn es wäre dadurch die Hauptschwierigkeit des deutschen Staats, der Zwiespalt der Confessionen, mit den ersten Eindrücken auf das jugendliche Gemüth von der Dorfschule bis zur Universität hinauf in das geistige Leben der Nation hineingetragen worden. In der praktischen Ausführung gestaltete sich die Sache meistens noch ziemlich einfach so, daß nach den vorgefundenen Abschichtungen der Bevölkerung in der Regel der Religionsunterricht einer Kirche genügte, da die Bevölkerung der Dörfer und Städte in ihrem festen Bestand entweder lutherisch, reformirt oder katholisch zu sein pflegte. Die vereinzelten Familien anderer Confession fügten sich dem hergebrachten Verhältniß, und machten selbst von der gesetzlichen Befugniß, ihre Kinder von dem Religionsunterricht zurückzuhalten, oft keinen Gebrauch.

Ein Zusammenleben verschiedener Confessionen in größerer Zahl innerhalb ein und derselben Schulgemeinde war damals noch die sporadische Ausnahme. Für die Provinz Schlesien, wo dies Verhältniß am häufigsten auftrat, wurde die Frage durch das Schulreglement vom 18. Mai 1801 §§ 4—7 dahin normirt:

„Was die Religion der Schullehrer betrifft, so setzen Wir hiermit fest: daß in der Regel jede Religions-Parthei einen eigenen Schullehrer ihres Glaubens haben solle, daß daher in katholischen Dörfern der Schullehrer katholisch, sowie in protestantischen protestantisch sein müsse."

„Für ganz katholisch oder ganz protestantisch soll auch ein

Dorf gehalten werden, wenngleich zur Zeit der Publikation dieses Reglements der sechste Theil der Stellenbesitzer zur anderen Religionsparthei gehörte. Auf nachmalige Religionsveränderungen der Stellenbesitzer soll hierbei nicht geachtet werden."

„In Dörfern vermischter Religion, wo nehmlich die Religions=Verschiedenheit der Stellen=Besitzer größer ist als daß § 5 angegebene Verhältniß, soll der Schullehrer von der Religions = Parthei sein, von welcher derselbe bisher gewesen, und entscheidet hier wieder der bemeldete Normal=Termin."

„In solchen gemischten Dörfern ertheilt der Schullehrer allen Kindern, ohne Unterschied der Religion, den Unterricht im Lesen, Schreiben und allen solchen Kenntnissen, die nicht zur Religion gehören. Zu Lesebüchern sollen solche gewählt werden, die nichts von den Unterscheidungslehren einer oder der andern Religion enthalten. Desgl. müssen sich alle Kinder zu dem gemeinschaftlichen Gebete oder Gesange bei dem Anfange oder Ende der Schule vereinigen, wie solches hergebracht ist, doch muß dieses Gebet oder Gesang nichts einseitiges einer Religions=Parthei enthalten. In der Religion ertheilt der Schullehrer aber nur den Kindern seines Glaubens Unterrichts, die Kinder der andern Parthei bleiben in den dazu bestimmten Tagen oder Stunden weg. Für den Unterricht dieser Kinder muß der Pfarrer und Seelsorger ihrer eigenen Religion, wo sie eingepfarrt sind, oder sich als Gäste hin halten, sorgen."

Diese Vorschriften waren zunächst nur für das Bedürfniß der Provinz erlassen; sie waren aber abgeleitet aus den Grundsätzen des Allgemeinen Landrechts, aus der ratio civilis der Landesgesetze, und konnten insoweit als eine analoge Norm auch für andere Landestheile gelten. Auch außer Schlesien kamen in der That Städte und ländliche Schulbezirke stark gemischter Confession vor, in welchen sehr gewöhnlich eine gesonderte Schule mit evangelischem, und eine gesonderte Schule mit katholischem Religionsunterricht aus der Zeit der Kirchschulen hergebracht war. Dabei konnte es dann nach § 30 A. L. R. II 12 verbleiben. Wurde es nothwendig, in solchen Ortschaften eine neue Schule einzurichten, so hatte zwar kein Religionstheil ein Recht, eine besondere Schule für sich zu fordern (A. L.=R. II 12 §§ 29. 38); durch gütliches Arrangement konnte aber auch in diesen Fällen eine gesonderte Schule mit dem Religionsunterricht für den evangelischen und für den katholischen Theil eingerichtet werden. Durch ihr Oberaufsichtsrecht erhielt die Schulverwaltung einen Einfluß auf die Ent=

scheidung dieser Frage, wobei die Altenstein'sche Schulverwaltung allerdings dahin neigte, die Errichtung gesonderter Anstalten aus Gründen der Zweckmäßigkeit zu befördern,*) eine einheitliche Anstalt wenigstens nicht als Regel zu erzwingen. Der bestimmende Grund für diese Verwaltungsmaßregel lag unverkennbar in der Erwägung, daß in der Volksschule der Religionsunterricht in engerer Verbindung mit dem gesammten Unterrichtsstoff liegt, als in den höheren Schulen, und daß deshalb der Elementarlehrer seine Aufgabe leichter erfülle, wenn gesonderte Anstalten für die Kinder evangelischer und katholischer Eltern gebildet würden. Von einem neuen Rechtsgrundsatz war dabei nirgend die Rede; vielmehr hielt die Verwaltung den Rechtsgrundsatz fest, daß im Fall des Bedürfnisses eine gemeinsame Anstalt mit doppelseitigem Religionsunterricht zu bilden sei und daß darüber die Staatsbehörde zu entscheiden habe. Wurde die Trennung beliebt, so trat das § 30 A. L.-R. II 12 erwähnte Verhältniß ein. In dem

---

*) Ob ohne gütliches Arrangement die Staatsverwaltung befugt sei, die Neubildung von zwei Schulen evangelischen und katholischen Theils innerhalb desselben Schulbezirks vorzuschreiben, war mehr als zweifelhaft, da das Allgemeine Landrecht die Schulerhaltung grundsätzlich als gemeine Last ohne Unterschied der Confessionen anerkennt, da also die §§ 29 38 A. L.-R. II, 12 die rechtliche Regel, der § 30 a. a. O. nur die Ausnahme bezeichnet, welche beibehalten werden kann, wo so getrennte Schulen einmal vorhanden „sind." Aus naheliegenden Gründen der Erleichterung des Unterrichts und der Aufsicht, und nach den Wünschen der kirchlichen Behörden, war die Schulverwaltung in den vielbewegten Jahren 1821—22 geneigt, die Trennung zu befördern. Das Circular-Rescript des Ministers v. Altenstein v. 27. Apr. 1822 (Annalen VI, 381) spricht sich im Allgemeinen gegen die Zweckmäßigkeit der sog. Simultan-Schulen aus, welche namentlich zu einer Spannung unter den Lehrern und zu einem Religionszwist mit den Eltern der Schuljugend führen könnten. „Des Königs Majestät haben dieser Ansicht des Ministeriums in der K.-O. v. 4. Okt. pr. ausdrücklich beizupflichten geruht. Dergleichen Anstalten können daher nicht Regel sein." Die wohlbegründeten rechtlichen Zweifel, welche den Minister veranlaßt haben, die Genehmigung des Königs zu einem solchen Verfahren nachzusuchen, sind hier nicht mitgetheilt; ebensowenig der Wortlaut der K. O. Später ist diese Verwaltungs-Anordnung weiter declarirt durch eine K.-O. v. 23. März 1829:

„Der Oberpräsident von Beurmann scheint zu besorgen, daß die von Ihnen getroffene Einrichtung zur möglichsten Organisation von Confessionsschulen statt der Simultanschulen den Erfolg haben werde, daß wegen der getheilten Mittel in den kleinen Städten ein zweckmäßiges Schulwesen weder für die eine noch für die andere Confession sich werde zu Stande bringen lassen. Ich habe zwar auf Ihren Bericht v. 10. Jan. 1820 in Meiner an Sie erlassenen Ordre v. 4. Okt. 1821 Ihre Ansicht genehmigt, daß die Vereinigung der Schulen weder der einen noch der andern Confession aufgedrungen werde; es kann aber kein Bedenken finden, die Vereinigung zu befördern, wenn der Mangel an

einen wie in dem andern Fall war und blieb jede Schule eine „Veranstaltung des Staats" nach den Grundsätzen der Parität, in welcher der wissenschaftliche Unterricht für alle Confessionen gleich zu ertheilen war. Die Verwaltung jener Zeit hat sich sorgfältig gehütet, jemals in einem veröffentlichten Erlaß solchen Anstalten einen von den Landesgesetzen abweichenden Namen oder Charakter beizulegen. Ueberall besteht also der landrechtliche Grundsatz, daß der Staat dem Re= ligionsunterricht seine Stelle in der Schule anweist, wie dies aus dem Rechtsgrundsatz des Schulzwangs, der Parität und der von der Confession unabhängigen Schulunterhaltungspflicht folgt.

Die Stellung, welche der Staat dem Religionsunterricht anweist, kann aber nur die dem Wesen der positiven Religion ent= sprechende sein. Die philosophische Idee, diesen Unterricht auf die „allgemeinen Wahrheiten der Religion" und auf die allen kirchlichen Parteien gemeinschaftliche Sittenlehre einzuschränken (welche in einem Bericht des Ober=Consistoriums vom 18. Juli 1799 einen Ausdruck gefunden hat), konnte bei praktischen Schulmännern keinen Eingang

---

hinreichenden Fonds die zweckmäßige Einrichtung von Confessionsschulen hindert und die Gemeindeglieder beider Confessionen über die Organisation einer Si= multanschule einverstanden sind."
Auch dieser Erlaß ist nicht veröffentlicht, aber in einer Privatsammlung (Rei= gebauer, Volksschulwesen 70) mitgetheilt. Es bedarf keiner Ausführung, daß durch die Akten=Correspondenz zwischen einem Departementschef und S. M. dem König die publicirten Landesgesetze nicht abgeändert werden konnten. Merkwürdig ist dieser Incidentpunkt, insofern er beweist, wie dem Referenten auch im Altenstein'schen Mi= nisterium die dem theologischen Bildungsgange geläufigen Ausdrücke einer „Con= fessionsschule" und „Simultanschule" unwillkürlich in die Feder gelaufen sind, so sehr diese Ausdrücke vom Allg. Landrecht perhorrescirt sind. Beachtenswerth ist der Hergang ferner als ein Beispiel des Mangels aller Rechtscontrolle in der Staatsverwaltung. Die preußische Ministerpraxis der Extrahirung von Kabinets= Ordres führt dahin, daß eine sehr zweifelhafte Auslegung bestehender Gesetze als eine innere Angelegenheit der Behörden behandelt wird, daß die entgegenstehenden Landesgesetze nicht einmal erwähnt, daß die Motivirung des Verfahrens und der Königliche Erlaß selbst der Oeffentlichkeit vorenthalten werden. — Man kann die Correktheit dieses Verfahrens bezweifeln, die Schranken der Legalität sind aber innegehalten; denn die hier empfohlene Trennung der Schule hat keinen an= dern Charakter als die vorgefundene Trennung, welche nach § 30 A. L.=R. II, 12 fortbestehen darf. In den getrennten Schulen ist der Religionsunterricht confessionell, der wissenschaftliche Unterricht nicht confessionell zu ertheilen (unten S. 29. 32); es sind „Veranstaltungen des Staats" nach dem Grundsatz der Parität, wie alle öffentlichen Schulen, und die Altenstein'sche Verwaltung hat sich wohl gehütet, in irgend einem von ihr veröffentlichten Erlaß solche Schulen als „Confessionsschulen" zu bezeichnen und aus diesem Wort irgend welche Folgerungen zu ziehen.

finden, am wenigsten für den ersten Unterricht der Kinder vom 6. bis
zum 14. Jahre. Lehren läßt sich in der Volksschule nicht Philosophie,
sondern nur positive Religion. Auch der paritätische Staat hat die
Pflicht, die positiven Lehrsätze der Kirche zu achten, anzuerkennen und
daher auch in seiner Volksschule lehren zu lassen. Es galt dies von
der katholischen wie von der evangelischen Kirche und wurde auch in
Schlesien ausgesprochen.

„Wir schreiben nichts in Absicht auf Dasjenige vor, was und wie
Pfarrer sowohl, als die, welche deren Stellen vertreten, in der
Christlichen Lehre die Jugend theils selbst, theils durch den Schul=
Meister unterrichten sollen. Wir verweisen in diesem Stücke
auf die Anordnung, welche hierunter der General=Vicarius der
Breslauschen Diöces bekannt machen wird" (Kathol. Schulregl.
v. 3. Nov. 1765 Art. 50).

Ebenso positiv lautet das Allgemeine Reglement des Staats=
ministers v. Altenstein v. 28. Juni 1826:

„Vor Allem muß der Lehrer bei dem Religionsunterrichte nicht
aus dem Auge verlieren, daß es dem Staate darum zu thun ist, in
den Mitgliedern seiner Schulen Christen zu erziehen, daß also auch
nicht auf eine blos in der Luft schwebende, alles tieferen Grundes
beraubte sogenannte Moralität, sondern auf eine gottesfürchtige sitt=
liche Gesinnung, welche auf dem Glauben an Jesum Christum
und der wohlbegründeten Erkenntniß der christlichen
Heilswahrheiten beruht, hingearbeitet werden muß".

Gesetzlich fixiren für die Zukunft wollte der Gesetzentwurf
vom 17. Juni 1819 folgende Grundsätze:

„Die Elementar=Schule umfaßt: die Religionslehre, um das
religiöse und sittliche Gefühl zum Bewußtsein zu erheben, und wird
in allen christlichen Schulen streng nach den positiven Wahrheiten des
Christenthums ertheilt.

„In der allgemeinen Stadtschule soll der Religionsunter=
richt eine zusammenhängende Kenntniß der christlichen Glaubens= und
Sittenlehre gewähren, und sie den Herzen der Kinder tief einzuprägen
suchen.

„In den Gymnasien soll der Religionsunterricht zu wissen=
schaftlicher Kenntniß des Wesens der christlichen Religion und ihrer
Glaubens= und Sittenlehre, ihrer heiligen Urkunde und der Bestand=
theile derselben, und zu einer Uebersicht der Geschichte der christlichen
Kirche nach ihren Haupt=Momenten führen (Aktenstücke S. 21—23).

Indem aber der Staat dem Religionsunterricht seine Stellung

anweist, setzt er demselben auch d i e j e n i g e n F o r m e n und S c h r a n k e n,
welche aus dem Grundsatz des Schulzwanges, der Parität und der
gemeinen Schulunterhaltungspflicht folgen. An keiner Stelle durfte
sich die Verwaltung über die Rücksicht hinwegsetzen, daß als Folge
des rechtlichen oder thatsächlichen Schulzwanges, eine Minorität von
Kindern anderer Confessionen in jeder Schule vorhanden sein kann.
In der „öffentlichen Schule" muß also der religiöse Frieden walten.
Daß die Geistlichen und Schullehrer „sich beim Religionsunterricht
des Lästerns und Schmähens der andern christlichen Confessionen ent=
halten sollen," schrieb schon das Ed. vom 16. September 1664 (C. C.
M. T. I. Abth. 1, S. 381. — Rabe, Bd. 13 S. 2) vor. Die
spätere Schulverwaltung hat diesen Grundsatz als Folgesatz aus den
Landesgesetzen abgeleitet und unverbrüchlich festgehalten: die Glaubens=
lehre, aber auch nicht mehr als die positive Glaubenslehre, gehört in
die öffentliche Schule. Die streitende Kirche hat ihren berech=
tigten Platz; sie hat ihn aber nicht in der Schule als Veranstaltung
des Staats. Unter dem Namen des Religionsunterrichts soll nicht
die ecclesia militans in die Schule einziehen, um Religionsgenossen
zu schelten und zu bekämpfen, welche durch die Staatsgewalt selbst
genöthigt werden, ihre Kinder in diese Anstalten zu schicken, und diese
Anstalten aus ihren Mitteln zu erhalten. Für den Streit der kirch=
lichen Unterscheidungslehren bietet die Dorf= und Stadtkirche, und im
Uebergang dazu der Confirmandenunterricht den reichlichen Spielraum,
der jedem Begriff von „Kirchenfreiheit" genügt.

Dieselben Gesichtspunkte werden dann weiter bestimmend für die
Stellung des w i s s e n s c h a f t l i c h e n Unterrichts, für die Auswahl des
Lehrpersonals, und für die Betheiligung der „Kirchen" an der
A u f s i c h t über den Religionsunterricht.

II. D i e S e l b s t ä n d i g k e i t d e s w i s s e n s c h a f t l i c h e n U n t e r =
r i c h t s neben dem Religionsunterricht ergab sich in Wechselbeziehung
zu den obigen Gesichtspunkten. — Volkslitteratur, Sprachen, Geschichte,
Naturwissenschaften müssen in der Staatsschule von allgemein wissen=
schaftlichen und pädagogischen Standpunkten aus gelehrt werden. Zu
einer andern Art des Unterrichts d a r f der Staat die Kinder differenter
Confessionen nicht zwingen. Zu einer andern Art des Unterrichts
beizutragen s o l l der Staat die Hausväter differenter Confessionen
nicht nöthigen. Unter Bedingungen anderer Art k a n n der Staat
die Parität der Confessionen nicht aufrecht erhalten. Schon das
Regulativ von 1801 § 7 erachtet diese nothwendigen Forderungen für
ausführbar mit einfachen schlesischen Dorfschullehrern; um so mehr

waren sie ausführbar mit steigender Bildung des Lehrerstandes und in den höheren Schulen. Es ist wahr, daß die Schule auch als Erziehungsanstalt die Familie ergänzen soll, und daß der Erziehungszweck eine Durchdringung der religiösen Wahrheiten mit dem Wissen bedingt. Sicherlich soll die Schule auch das Gemüth wecken, den Charakter bilden, an Zucht und Ordnung gewöhnen, den künftigen Halt geben, welcher den Menschen durch die Prüfungen des Lebens hindurchführt. Die preußische Schulverwaltung hat dies niemals verkannt oder vernachlässigt. *) Der praktische Schulmann weiß aber auch, wieviel die Schule darin leisten möchte, wieviel sie in Klassen von 40—100 Kindern leisten kann. Er weiß, daß die Jugend von dieser Thätigkeit des Lehrers nur versteht die Wahrheit seiner religiösen Ueberzeugung, den Ernst und die Liebe, durch die er sie bethätigt, nicht aber ihre kritisch-gedankenmäßige Ableitung aus dem Dogma, für welche der Sinn erst in reiferen Jahren sich findet. Das ist der Punkt, in welchem der Geistliche von seiner Berufsbildung aus oft irrt. Für die Schule kommt es darauf an, daß in dem Lehrpersonal das Wissen mit einer wahrhaften und festen, religiös-sittlichen Ueberzeugung zur Einheit durchgearbeitet sei, nicht auf die Verschiedenheit der dogmatischen Obersätze. Die menschliche Unvollkommenheit darin theilt der Lehrerstand mit dem geistlichen. Die europäische Welt zeigt aber auf allen Gebieten des Wissens dieselbe Richtung und Grundanschauung der Wissenschaft bis zu ihrer höchsten Höhe hinauf neben sehr verschieden kirchlichgläubigen Sonderrichtungen. Auf diesem angewandten Gebiet erscheint die religiöse Wahrheit in der That als allgemein sittliche Grundanschauung und als allgemein menschliche Erziehungskunde. Dem entgegen wird die „Kirche" als Gesammtcorporation der Clerifer allerdings dahin streben, jedes Wissen ihrem

---

*) Der Gesetzentwurf von 1819 § 7 wollte dies auch direct aussprechen: „Nach diesen Grundbestimmungen soll die Schule als allgemeine Bildungsanstalt den ganzen Menschen umfassen, sowohl von Seiten des die Bildung des Wissens und Könnens bezweckenden Unterrichts, als auch der die praktische Bildung zur sittlichen Tüchtigkeit in sich begreifenden Disciplin, die aber beide in der Ausübung nicht von einander getrennt, sondern wechselseitig mit einander verflochten, und am tiefsten durch die Bildung der Religiosität, welche dem ganzen Erziehungswerke der Schule den Schlußstein geben muß, vereinigt sind." (Aktenstücke S. 18 — und vorher S. 17: „Da der herrschende Geist jeder Schule eines christlichen Staats dasjenige sein muß, was alle Confessionen vereinigt, Frömmigkeit nämlich und wahre Gottesfurcht, so kann sie auch Kinder anderer Confessionen, als von welcher sie selbst ist, aufnehmen." — unbeschadet des confessionellen Unterrichts der Religion.)

Dogma unterzuordnen, ihre Unterscheidungslehren als die Basis ihrer eigenen Existenz gegen die andere Kirche zu behaupten. Allein eben des= halb, weil dies im Wesen und Beruf der Kirche liegt, ebendeshalb ist der paritätische Staat genöthigt, das ganze Schulwesen an sich zu nehmen, nicht der Kirche als solcher die Leitung der Schule zu be= lassen, nicht einmal mit der „Kirche" als solcher über Schulpläne und Lehrpersonal zu verhandeln. Den kirchlich gläubigen Mann, welcher zum Unterricht und zur Erziehung der Jugend wirklich berufen ist, lehrt die Liebe zum Beruf, und die Pflichttreue, welche der Lebensberuf der Jugenderziehung vorzugsweise entwickelt, was er dabei zu thun und zu lassen hat, auch wenn ein übelverstandener kirchlicher Eifer etwas anderes von ihm verlangen sollte. Der theoretische Widerstreit der staatlichen Schule und der kirchlichen Lehre löst sich durch diese lebendigen Zwischenglieder, in welchen der mögliche Widerstreit von Glauben und Wissen durch die Berufserfahrung zum individuellen Austrag gekommen ist. Die gewissenhafte Auswahl des Lehrpersonals hat also den Widerspruch zu lösen. Ist die Geistlichkeit durch die Ge= bote ihrer Kirche genöthigt, ihre Unterscheidungslehren auch im Gebiet der Wissenschaft an jeder Stelle, auch gegen Andersgläubige zur Gel= tung zu bringen: so folgt, daß der Staat die Träger des geistlichen Amts nicht als solche zu Lehrern ernennen kann. Ein Staat, welcher Schulzwang, Parität und gemeine Schullast proklamirt, hat damit auch die Verpflichtung übernommen, die Lehre und die Aufsicht in solche Hände zu legen, welche befähigt sind, Geschichte, Literatur, Sprachen, Naturwissenschaften vom Standpunkt der Wissenschaft und der Pädagogik aus zu lehren. Dies Maß der geistigen Befreiung ist das schwer errungene Resultat der deutschen Reformationskämpfe nicht für eine, sondern für alle Confessionen. Auf diesem Boden ist eine deutsche Geschichtschreibung, eine deutsche Nationalliteratur, eine deutsche Wissenschaft im weitesten und höchsten Sinne erwachsen, welche der Staat als das tiefstliegende Element der nationalen Ein= heit zu hegen und zu bewahren hat. Die Freiheit der geistigen Forschung auf jedem Gebiet des Wissens, „die Entwickelung des Menschen aus sich heraus" ist in diesem Gange der Dinge ein Element der deutschen Jugenderziehung geworden, welches neben der Lehre der positiven Religionswahrheiten seine legale und legitime Stellung be= haupten und wiedererlangen muß. Umgekehrt freilich legt der Grund= satz des Schulzwangs und der Parität, auch dem wissenschaftlichen Lehrer gewisse Beschränkungen in Form und Maß auf, sobald er mit Amtspflichten für den Zweck der Jugenderziehung in den Staats=

dienst tritt. Es kann in dieser Richtung ebenso oft gefehlt werden, wie in der andern und auch in dieser Richtung eine Schulaufsicht erforderlich sein. Wie aber in dem durchgebildeten Individuum Glaube und Wissen sich zur lebendigen Einheit verbinden, so vermag auch der paritätische Staat sehr verschiedenartige geistige Richtungen zu dem großen Zweck der Jugenderziehung einheitlich zu verwenden. Die Aufgabe, Geschichte, Volkslitteratur, Sprachen, Naturwissenschaften so zu lehren, um auch andere Confessionen an dem Unterrichte Theil nehmen zu lassen, ist jedem preußischen Lehrer durch die Landesgesetze gestellt. Sie muß eine lösbare sein; denn sie ist ein Menschenalter hindurch wirklich gelöst worden. — Es ergab sich eben daraus

III. die Bildung eines selbständigen Lehrpersonals als Folge der Auflösung der kirchlichen in die Staatsschule. Es bedarf auch für diese Frage nochmals eines historischen Rückblicks. Indem die Kirche ihre Mittel in erster Stelle der geistlichen Lehre und Seelsorge, und nur nebenbei der Fortbildung des allgemeinen Wissens zuwandte, indem sie mit fortschreitender Abschließung ihrer Corporationsverfassung ihre Mittel immer einseitiger in den höheren regierenden Stellen und Pfründen concentrirte, hatte sie den elementaren Volksunterricht auf jener Stufe der Verkümmerung zurückgelassen, auf welcher der Staat die Dorfschule vorfand, als er mit dem Grundsatz des Schulzwanges in die vorgefundenen Zustände einschritt. Es war die Erbschaft der Kirche, welche der Staat antrat, als er auf vielen Dörfern gar keine Schule, in anderen dürftige Handwerker vorfand, welche nebenbei in der Woche einige Schulstunden abhielten. Es war die Erbschaft der Kirche, wenn durch ein Patent vom 10. November 1722 bestimmt werden mußte, „daß zu Küstern und Schulmeistern aufm platten Lande, außer Schneidern, Leinewebern, Schmieden, Rademachern und Zimmerleuthen, sonst keine andern Handwerker angenommen werden sollen"; und wenn noch unterm 17. September 1738 ein Rescript erging: „wider die herumlaufende Schneider, und daß aufm platten Lande, außer dem Küster und Schulmeister gar kein Schneider geduldet werden soll." — Aus solchen Zuständen heraus hat der preußische Staat sein heutiges Unterrichtswesen bis zur Universität hinauf zu einer Achtung gebietenden Einheit fortgebildet. Wie die Verwaltung des XVIII. Jahrhunderts im Justiz-, Finanz- und Militairwesen, so hat sie auch im Schulwesen von unten herauf gearbeitet. Schon in dem Schulreglement von 1763 erscheint das Dorfschulmeisterthum als ein ernstlicher, die ganze Kraft eines Mannes in Anspruch nehmender Beruf, für welchen die nothdürftigen

Mittel vom Staate beschafft wurden. Im XVIII. Jahrhundert beginnt auch schon die Ausbildung der Lehrer in besonderen Seminarien. Die Ausfüllung der Mittelstufen, der Bürgerschulen, Seminarien, Gymnasien, Realschulen ist das mühsame Werk der Regierungszeit Friedrich Wilhelms III., eines Fortschreitens nach einem einheitlichen Plan mit sehr bescheidenen Geldmitteln. Es lag dabei in der Natur der Sache, daß die Mühsamkeit, das Bewußtsein der Wichtigkeit des Berufs, die fortschreitende geistige Bildung dem Lehrerstand das Bestreben der Unabhängigkeit von der Geistlichkeit gab. Auch der Lehrstand hat nunmehr in Preußen seine Geschichte, seine vom Staate zu schützende geschichtliche Individualität, seinen durch die Gesetzgebung selbständigen Beruf. Der für die Schulen als „Veranstaltungen des Staates" gebildete Berufsstand mußte folgerecht die Pflichten und Rechte der Staatsdiener erhalten. Den Lehrern der gelehrten Schulen legt das Allgemeine Landrecht die eigentlichen Staatsdienerprivilegien ausdrücklich bei.

Folgerecht waren durch das Staatsdienergesetz Diffidenten auch von diesen Aemtern ausgeschlossen. Der Lehrerstand bildete sich also aus Personen katholischer oder evangelischer Confession, unter welchen nach dem Grundsatz der Parität und der Staatsdienergesetze ein Unterschied der Anstellungsfähigkeit nur durch die Bestimmung des Amts entstand. Dem entsprechend mußte der katholische Religionslehrer der katholischen, der evangelische Religionslehrer der evangelischen Confession angehören. Für die Provinz Schlesien war dies im Schul-Reglement von 1801 ausdrücklich gesagt; aber auch darüber hinaus verstand es sich, daß in der Elementarschule der vorhandene einzige Lehrer der Confession angehören mußte, deren Religion er zu lehren hat. Für die Einrichtung der Schullehrerseminarien ergab sich die ebenso nothwendige Rücksicht, daß sie die Religionslehrer der Elementarschule auszubilden hatten.

Allein auch über dies Bedürfniß hinaus setzte sich eine Scheidung thatsächlich fort; denn auch in den Städten, in welchen sich die höheren Schulen befanden, war das Vorherrschen einer Confession die thatsächliche Regel. Mit Rücksicht darauf pflegte die Staatsverwaltung in evangelischen Orten evangelische, in katholischen katholische Lehrer anzustellen, beziehungsweise die von den „Schulpatronen" so präsentirten zu bestätigen. Es entsprach das den Ansichten der Zeit; denn die vielgerühmte und vielgetadelte Toleranz des XVIII. Jahrhunderts hatte ihren Sitz nur in den höher gebildeten Klassen. In den weiteren Kreisen der Bevölkerung wurde auf evangelischer Seite

3

der katholische Jugendlehrer, auf katholischer Seite der evangelische
im Durchschnitt nicht gern gesehen. Mit Rücksicht auf die Schich=
tung der Bevölkerung wurde ja auch der Religionsunterricht in der
Regel nur einseitig ertheilt, und die in der Minorität befindlichen
Confessionsverwandten fügten sich dem Hergebrachten. Reclamationen
dagegen hätten nur durch die Staatsaufsichtsbehörde zur Geltung kom=
men können. Da aber eine gesetzliche Vorschrift, bei welcher Zahl
von Kindern eine Parallelklasse für den Religionsunterricht der Min=
derheit eingerichtet werden müsse, nicht bestand, so waren die Be=
hörden auf den Gesichtspunkt der Ausführbarkeit verwiesen. Da
die vorhandenen Lehr= und Geldmittel in der Regel nur knapp
ausreichten, da Unausführbares nicht verlangt werden konnte, so
ergab sich, daß auch im Fall des Streits die Aufsichtsbehörde das
hergebrachte Verhältniß bestätigte. Auf diesen Wegen hat sich eine
stillschweigende Verwaltungsmaxime gebildet, nach welcher auch bei den
mehrklassigen Schulanstalten in der Regel evangelische Lehrer in den evan=
gelischen, katholische Lehrer in den katholischen Landestheilen angestellt
wurden. Die Verwaltung glaubte damit dem Wunsche der Bevöl=
kerungen entgegen zu kommen. Sie erleichterte auch den Erziehungs=
beruf der Schule und das Collegialverhältniß unter den Lehrern, wenn
sie die Lehrercollegien aus Personen ein und derselben Confession zu=
sammensetzte, soweit dies mit den Rücksichten auf Tüchtigkeit der Ge=
wählten und mit der Rücksicht auf die vorhandene Schülerzahl anderer
Confession vereinbar war. Aehnliche Verwaltungsmaximen haben sich
auch bei der Besetzung der Gerichte und anderer Behörden zeit= und
ortsweise stillschweigend geltend gemacht. — Aber die Verwaltung hat
sich gehütet, aus solchen Gesichtspunkten der Convenienz irgend einen
neuen Rechtsgrundsatz bilden zu wollen. Sie war sich bewußt,
daß dazu nicht nur jeder Anhalt in den Staatsdienergesetzen fehlte,
sondern daß sie auch in Widerspruch mit den Grundgesetzen des
Schulwesens gekommen wäre. Zweckmäßigkeitsrücksichten können auch
heute noch gelten, um im Allgemeinen die Lehrer mit Rücksicht auf die
vorherrschende Confession zu ernennen. Die rechtliche Beschränkung
der Schulcollegien auf eine Confession dagegen hätte nicht nur die
Prärogative der Krone und die Staatsdienergesetze abgeändert, son=
dern auch die exclusive Richtung des wissenschaftlichen Unterrichts auf con=
fessionelle Standpunkte ausgedrückt, während die Staatsverwaltung
verpflichtet war, den wissenschaftlichen Unterricht gleichmäßig auch für
die Kinder anderer Confessionen ertheilen zu lassen. Die Altensteinsche
Verwaltung hat es daher vermieden, auch nur im Wege des Regle=

ments oder allgemeiner Instructionen Vorschriften darüber geben zu wollen. Die Frage war und blieb eine einfache Frage der Dienst=pragmatik.

IV. Die Staatsaufsicht über das Unterrichtswesen ergab sich aus der Natur der öffentlichen Schulen, als „Veranstaltungen des Staats". Ihr nächster Beruf war die Aufrechterhaltung der Rechtsgrundsätze des preußischen Schulwesens, des Schulzwangs, der Parität, der gemeinen Schullast; und diese Staatspflicht war auch delegirbar an Ortsobrigkeiten und kirchliche Personen, aber nicht veräußerlich. Der weitere Beruf der Staatsaufsicht war, durch die Regulative der Central = und Provinzialbehörden diejenigen Punkte zu bestimmen, welche in den Gesetzen der Ausführung vorbehalten sind, insbesondere die Lehrpläne und die Ausbildung des Lehrerpersonals. Die Gestalt der Central= und Provinzialbehörden dafür ist schon oben berührt.

Eigenthümliche Schwierigkeiten bot die Kreis = und Lokal=verwaltung dar, zu deren unmittelbaren Beaufsichtigung eine kleine Zahl von Schulräthen in keiner Weise ausreichte. Weder in Schulzen= und Dorfgerichten, noch in dem sehr ungleichartig vertheilten und gestellten „Schulpatronat" war ein geeignetes Organ der Aufsicht zu finden, welches nach gesellschaftlicher Stellung und Bildungsstufe doch im Ganzen höher stehen sollte als die Lehrerschaft. Die Staatsverwaltung sah sich dadurch genöthigt, in der Regel dem Ortsgeistlichen eine lokale Schulaufsicht aufzutragen, und in so weit das historische Verhältniß der kirchlichen Schulen beizubehalten. Der Ortsgeistliche erschien als der einzige homo literatus, welcher in den Dorfverfassungen zu finden war; auch in den Städten ergab sich erst durch die späteren Städteordnungen die Bildung angemessenerer Schul=deputationen. Die Schulreglements des XVIII. Jahrhunderts geben demgemäß ausführliche Vorschriften über das Verhalten des Geistlichen in Beaufsichtigung der Ortsschulen, welche in Form und Inhalt den Charakter von Staatsanweisungen für die vom Staate delegirte Funktion festhalten. In gleichem Sinne verordnet das Allgem. Land=Recht II. 12:

§ 49. Der Prediger des Orts ist schuldig, nicht nur durch Aufsicht, sondern auch durch eigenen Unterricht des Schulmeisters sowohl als der Kinder, zur Erreichung des Zwecks der Schulanstalten thätig mitzuwirken.

§ 15. Die Obrigkeit und der Geistliche müssen sich nach den vom Staate ertheilten oder genehmigten Schulordnungen achten;

und nichts, was denselben zuwider ist, eigenmächtig vornehmen, oder
einführen. ·

Die mangelhafte Ausbildung der Elementarlehrer machte jener Zeit
für den Religionsunterricht wirklich eine ergänzende Mitwirkung des
Ortsgeistlichen fast unvermeidlich. Später, nach verbesserter Ausbildung des Lehrerpersonals, nahm die Verwaltung mit Recht den Grundsatz an, auch den Religionsunterricht in der Regel durch theologisch-
gebildete und geprüfte Lehrer ertheilen zu lassen. In jedem Falle
hatte der Geistliche den Beruf der Controlle für den Religionsunterricht, welcher nach den positiven Glaubenslehren der Kirche ertheilt
werden soll. Es ergab sich daraus zwar kein Entscheidungsrecht (jurisdictio), wohl aber ein Recht der Controlle und Rüge, über welches
das A. L.-R. II. 12 die Bestimmung trifft:

§. 16. Finden sie (die Obrigkeit und der Geistliche) bei der
Anwendung der ergangenen allgemeinen Vorschriften auf die ihrer
Aufsicht anvertraute Schule, Zweifel oder Bedenklichkeiten; so muß
der geistliche Vorsteher der dem Schulwesen in der Provinz vorgesetzten Behörde davon Anzeige machen.

§. 17. Eben dieser Behörde gebührt die Entscheidung, wenn
die Obrigkeit sich mit dem geistlichen Vorsteher über eine oder die
andere bei der Schule zu treffende Anstalt oder Einrichtung nicht
vereinigen kann.

In demselben Sinne verband man eine „Kreis-Schulinspec-
tion" mit dem vorgesetzten Amt des Ortsgeistlichen und bestellte demgemäß die Superintendenten und Erzpriester zu Kreisinspectoren des
Schulwesens. In demselben Sinne wurde auch eine Mitaufsicht der
Consistorien beibehalten, für welche in der Consistorialinstr. v. 23. Oft-
1817 der Erlaß einer allgemeinen Schulordnung vorbehalten wurde.
Da diese indessen nicht ergangen ist, so bleibt die ältere Gesetzgebung
maßgebend, welche die geistliche Aufsicht nur als ein delegirtes Recht des
Staats kannte und alles Entscheidungsrecht endgültig in die Unterrichtsbehörden des Staats legte. Nach den Grundsätzen der Parität ist dieselbe Stellung der katholischen Geistlichkeit gewährt. Für Schlesien
enthält das Schulreglement von 1765 die parallelen Bestimmungen,
welche überall die Unter- und Nebenordnung der geistlichen Behörden
unter die Staatsunterrichtsbehörden festhalten.

Art. 51. Um die Uns so sehr am Herzen liegende Schul-Ver-
besserung so dauerhafft als möglich zu machen, können wir es dabei
nicht bewenden lassen, den Pfarrern jedes Orts, die besondere Ob-
sorge der Schule nachdrücklichst empfohlen zu haben. Wir

finden noch vor nöthig, deshalben zu verfügen, daß Unsere Krieges= und Domainen=Cammern, das Bischöfliche Vicariat=Amt und die bestellten Vicarien auswärtiger Dioecesen, letzterer zwar durch die Erz=Priester und noch besonders zu bestellenden Schul=Inspectores, alle Attention und zwar nach folgender Vorschrift auf diesen für den Staat so wichtigen Gegenstand verwenden.

Art. 71. Das General-Vicariat Amt, und die Vicarii oder Decani auswärtiger Dioecesen, haben aus den eingegangenen Berichten der Schul=Inspectoren jährlich 2mahl an Unsere Krieges und Domainen=Cammern über den Zustand der Schulen Bericht zu erstatten.

Das spätere Schulreglement (§ 51) sucht in der Mittelinstanz das Schulinspectorat von der Person des Erzpriesters zu trennen, wie dies auch in dem allgemeinen Regl. v. 1763 § 3. 13 vorbehalten war.

In gleicher Weise hat die Consistorialinstruction von 1817 die controllirende Competenz der Consistorien im Schulwesen (§§ 6. 7) parallel auf das römisch=katholische Unterrichtswesen angewandt, in folgender Fassung:

§ 8. Die Bestimmungen der vorstehenden beiden §§ finden auch auf das römisch=katholische Erziehungs= und Unterrichtswesen Anwendung; jedoch bleibt den katholischen Bischöfen ihr Einfluß, soweit er verfassungs= und gesetzmäßig ist, auf den Religionsunterricht in den öffentlichen Schulen und auf die Anstellung der besonderen Religionslehrer, wo dergl. vorhanden sind, vorbehalten. Die vorsichtig eingefügte Clausel, „soweit er verfassungs= und gesetzmäßig ist," enthält die Bezugnahme auf die Landesgesetze, nach welchen die Geistlichkeit nur in Delegation des Staats ein Control- und Rügerecht übt, kein Entscheidungsrecht (jurisdictio.) Der Vorbehalt eines verfassungsmäßigen Einflusses insbesondere behält auch die verfassungsmäßigen Grundsätze des Schulzwangs, der Parität und der gemeinen Schullast vor, mit welchen nur ein staatliches Entscheidungsrecht vereinbar ist.

Unvermeidlich lag freilich an dieser Stelle eine Quelle später entstandener Mißverständnisse. Es war dem geistlichen Personal, welches in Tausenden von Pfarrämtern, Superintendenturen und Erzpriesterämtern eine Schulaufsicht übte, nicht zu verdenken, daß ihr Ideenkreis diesen Beruf an ihr Kirchenamt anschloß, in welchem sie nur ihren kirchlichen Oberen Gehorsam zu schulden glaubten. Ebenso verschmolz in den Augen des Publikums das mit der geistlichen

Hierarchie verbundene Amt mit dem kirchlichen, und bereitete damit einen späteren Ideenkreis vor, in welchem die Kirche als Regiererin der Schule zurückkehrte. Vereinzelte Anfänge dazu auf engeren Ge= bieten werden schon sichtbar in der Instruction für die Generalsuper= intendenten und in der westphälisch=rheinischen Provinzialkirchenordnung. Zur Zeit indessen gehören die landrechtlichen Grundsätze über die Schul= aufsicht A. L.=R. II. 12. §§ 12—17. 49. 55. 56. 60. zu den „jetzt geltenden gesetzlichen Bestimmungen" hinsichtlich des Schul= und Unterrichts= wesens, bei welchen es bis zum Erlaß des allgemeinen Schulgesetzes nach Art. 112 der Verfassung sein Bewenden behält.

———

Dies ist das legale Verwaltungsrecht des preußischen Schulwesens, wie es im Laufe der Regierung König Friedrich Wilhelm's III. in Uebereinstimmung mit den Grundsätzen des Allgemeinen Landrechts gebildet wor= den ist.

Das Resultat ist eine Schule, in welcher die Religion confessionell gelehrt werden muß, die Wissenschaft nicht confessionell gelehrt wer= den darf, die Staatsaufsicht in diesem Sinne gehandhabt werden soll.

Daß die Staatsschule in diesem Sinn verwaltet, daß sie auf der Höhe der geistigen Entwickelung der Zeit, und doch in Uebereinstim= mung mit den Lehren der anerkannten Kirchen gehalten werden kann, hat die Altenstein'sche Periode der preußischen Unterrichtsverwaltung praktisch erwiesen. Der verhältnißmäßig hohe Standpunkt dieser Ver= waltung ist in der europäischen Welt anerkannt. Die damaligen Schuldecernenten sind unbestreitbar ebenso sehr praktische Schul= männer gewesen wie die heutigen Leiter des Schulwesens.

Freilich war die Art der Verwaltung nicht leicht. Wie für den Einzelnen die Vereinigung des Gottesglaubens mit dem offenen Auge für die Erscheinung und mit dem freien Gedanken über den Zu= sammenhang der Dinge, so ist für den Staat die Vereinigung des Autoritätsglaubens der Kirche mit der Freiheit der Gewissen und der Wissenschaft ein nur durch äußere und innere Kämpfe zu erringendes Ziel. Allein die Ueberwindung dieser Schwierigkeit war eben die eigenthümliche Aufgabe des preußisch=deutschen Staats, — des einzigen in Europa, der eine wirkliche Parität streitender Kirchen durch= führen, welcher seine confessionell gespaltene Bevölkerung in Ortschaft, Landschaft, Provinz in Eintracht zu leben gewöhnen mußte. Um sie zu würdigen, wolle man damit die internationale Confusion vergleichen, welche beispielsweise die Socialphilosophie unserer Nachbaren in den

Verhandlungen der Association Nationale pour le progrès des sciences sociales, Brüssel 1862, über die Schulfrage zu Tage gebracht hat. Es war eine Aufgabe, welche in dem Schulpersonal nicht nur die ganze Hingabe an den Beruf individueller Erziehung voraussetzte, sondern zugleich das Bewußtsein der Erfüllung einer staatlichen Aufgabe, welche höhere Ziele verfolgte, als die ehemalige kirchliche Schule.

Es war ebendeshalb nicht schwer,- diesem mühevoll und treu aufgebauten System eine kirchliche und politische Gegnerschaft zu bereiten, welche ihren Boden gewann, noch ehe ein Menschenalter nach der Verjüngung des Staats von 1808 vergangen war.

IV.

Das neuere Verwaltungssystem der „confessionellen Schulen."*)

Dem ersten Drittel des XIX. Jahrhunderts folgt in Preußen ein zweites Menschenalter, in welchem unter dem Namen und unter der Autorität des Staats selber die gesetzlichen Grundlagen des Unterrichtswesens sich allmälig umkehren.

Schwankungen in der neueren Richtung beginnen allerdings schon innerhalb der Altenstein'schen Unterrichts-Verwaltung. Hätte die Staats-Verwaltung jener Zeit eine Controle ihrer Gesetzmäßigkeit zur Seite gehabt, so hätten wohl schon damals einzele Maßregeln modificirt oder declarirt werden müssen.**)

---

*) Hauptschriften: L. Wiese, Das höhere Schulwesen in Preußen, historisch-statistische Darstellung in amtlichem Auftrag, Berlin 1864; L. Wiese, Verordnungen und Gesetze für die höheren Schulen in Preußen, Berlin 1867. 68 (nachfolgend citirt als Wiese's Schulwesen und Wiese's Verordnungen). Mit Rücksicht auf die Provinzial-Schuldecernate ist zu beachten: L. G. Scheibert, Provinzial-Schulrath in Breslau, Die Confessionalität der höheren Schulen, Stettin 1869. — Ein Gesammtbild des älteren und neueren Verwaltungsrechts giebt v. Rönne, Das Unterrichtswesen des preußischen Staats I. II. Berlin 1855.

**) Wir erinnern beispielsweise an die obige Actencorrespondenz des Ministers v. Altenstein (S. 26) über die Einrichtung von getrennten Schulen für den evangelischen und katholischen Theil und die von ihm extrahirten A. K.-DD. v. 4. Okt. 1821 und v. 23. März 1829, wo die Ausdrücke „Confessionsschulen" und „Simultanschulen" schon einmal unterlaufen. Ferner an das Circular-Rescript v. 26. März 1827 (Annalen XI. S. 416), nach welchem in der Regel die evangelischen Kandidaten

Mit dem Jahre 1840 aber tritt an Stelle jener Schwankungen ein in sich und mit der umgebenden Welt in Unklarheit stehendes System, welches seinen Widerspruch mit den Traditionen des Staats auch in das preußische Unterrichtswesen getragen hat. Das seit Friedrich Wilhelm I. mühsam und gewissenhaft aufgebaute Staatssystem sollte nunmehr ein „unchristliches", dem Grundverhältniß von Staat und Kirche widersprechendes sein. Die Feindseligkeit gegen die Schöpfungen der „Aufklärungsperiode" wandte sich auch gegen die bisher gesetzmäßige Schulverwaltung, so wenig die tiefe Achtung Friedrich's des Großen vor dem Beruf der Seelsorge und seine Schulreglements mit seiner Philosophie gemein hatten. Jene widerspruchsvolle Unklarheit wollte den Schulzwang nicht aufheben, die Parität der Kirchen nicht aufgeben, die Schullast als gemeine Last beibehalten; den staatlichen Rechten, den königlichen Machtbefugnissen sollte eigentlich nichts vergeben werden: durch das ausführende Personal selbst aber sollte die Staatsschule wieder zur kirchlichen Schule werden. Durch Besetzung der Centralstellen, der Provinzialbehörden, der Schullehrer-Seminare sollte die Schule wieder in dem Geiste wirken, als ob sie ein „kirchliches" Institut wäre.

Also Umkehrung der Gesetze durch die Verwaltung.

Dies dem preußischen Staat eigenthümliche Verfahren wurde dadurch möglich, daß seit 1808 die ehemaligen Rechtscontrollen der Verwaltung aufgehört hatten, daß die Exekutivbehörden in allen Instanzen über die Gesetzmäßigkeit ihrer Maßregeln selbst entschieden, und daß damit die Verwaltungs-Regulative an die Stelle der Verwaltungsgesetze zu treten anfingen.

Unaufhaltsam kommt die neue Richtung zum Durchbruch seit 1848, und zwar zunächst mit den Bestrebungen der katholischen Kirche nach ihrer „Wiederbefreiung" vom Staat. Es liegt in der menschlichen Natur begründet, daß diejenigen, denen ihre Kirche höher steht als unser Staat, jederzeit bereit sind mit den verschiedensten Parteien zu gehen, soweit solche die Macht der heiligen Kirche zu vermehren geneigt sind. Durch Parteicoalitionen dieser Art

nur zu einer „evangelischen", und die katholischen nur zu einer „katholischen" gelehrten oder höheren Bürger- und Realschule zugelassen werden sollen. Dieser Zusatz fehlte in dem Circular-Rescript v. 24. Sept. 1826, wurde aber später motivirt durch die Rücksichtnahme „auf den Confessionsunterschied, welcher auch in Betreff der Gymnasien und höheren Bürgerschulen noch vorwaltet." Dieselbe Bestimmung wurde dann auch in das Regl. v. 20. April 1831 § 33 aufgenommen. — Einzelne Uebergänge in den Sprachgebrauch des neueren Verwaltungsrechts kommen beiläufig vor.

wurde zunächst den Resolutionen und Verfassungs=Artikeln über die Kirche jene zweideutige Fassung gegeben, für welche von entgegenge=setzten Standpunkten aus sich stimmen läßt. Die ultramontane Seite mußte, daß jede Zweideutigkeit im Resultat ihr allein zu Statten komme, da die socialen Parteibildungen unstetig und wechselnd, die absolute Monarchie der römischen Kirche aber stetig und unerschütter=lich ein Ziel verfolgt. Umworben von allen Parteibestrebungen war sie in der vortheilhaften Lage, von allen anzunehmen was annehmbar war. Bald genug folgte den Angeboten der Parteien das Entgegen=kommen einer durch die Excesse des Jahres 1848 geängstigten Staats=Regierung, welche sie bittet, in dem „gemeinsamen Kampf gegen die zer=störenden Elemente einer gott= und rechtlosen mächtigen Richtung die in ihren Vesten erschütterte Gesellschaft zu stützen". Dieser stärkeren, ihrer Ziele klar bewußten Seite folgen dann die kirchlichen Bestrebungen der evangelischen Seite nach. Naturgemäß wurden die Umbildungen bei der Elementarschule begonnen. Dann folgte das Central=Decernat für die höheren „katholischen" Schulen, und diesem wieder das der „evangelischen".

Das neue Verwaltungsrecht bildet sich zunächst durch eine eigenmächtige Aenderung des Sprachgebrauchs.

Die öffentliche Schule, in welcher der Religionsunterricht evan=gelischer Confession ertheilt wird, nennt man evangelische Schule; diejenige, in welcher der Unterricht katholischer Confession ertheilt wird, katholische Schule.

Da die mit einem Lehrer versehene Volksschule nur den einen oder den andern Religionsunterricht ertheilt, so sagt man: Die Ele=mentarschule ist nothwendig entweder eine evangelische oder eine katholische.

Da auch die höheren Schulen der Mehrzahl nach nur den einen oder anderen Religionsunterricht ertheilen, so sagt man: auch die höheren Schulen sind in der Regel evangelische oder katholische.

Da die Ertheilung eines zweiseitigen Religionsunterrichts de facto in einer mäßigen Zahl von Schulen stattfindet, so sagt man: es giebt auch „Simultanschulen," diese sind aber eine gesetzliche Abnormität, welche nur auf ausnahmsweiser Gestattung beruht.

Da also in jedem Falle die öffentliche Schule entweder den Re=ligionsunterricht evangelischer oder katholischer oder beider Confessionen ertheilt, so sagt man: alle preußischen Schulen sind entweder

evangelischer, oder katholischer Confession, oder Simul=
tanschulen.

Als Princip ausgedrückt: Die preußischen Schulen sind
confessionelle Schulen.

Dieser Sprachgebrauch ist freilich den Landesgesetzen fremd. Er ist
im Landrecht durch eine sehr sorgfältige, überlegte Fassung disapprobirt.
Es liegt auch an sich ein Widerspruch darin, daß ein objectives
Ding, eine Schule, ein Schulgebäude, eine Schuleinrichtung für eine
Zahl von Lehrern und Schülern, einen religiösen Glauben haben soll.
Eine Anstalt kann keine „Confession" haben. Allein in dem nun be=
ginnenden Streit vermengten sich alsbald die theologischen, die päda=
gogischen und die juristischen Standpunkte zu einem unlösbaren Knäuel.
Die Erziehung, sagt man, ist die Basis der Unterrichtsanstalten; die
Confession ist die Basis der Erziehung: also sind die preußischen
Unterrichtsanstalten confessionell. Mit dieser Conclusion glaubte
man mit sich und mit den Landesgesetzen im Reinen zu sein.

Sobald man nun aber den untergeschobenen Ausdruck „confessionelle
Schulen" zu einem leitenden Grundsatz des Verwaltungsrechts erhebt,
also das innerliche Moment des Glaubens an eine äußere permanente
Anstalt heftet, so kommt man nothwendig auf die äußere permanente
Verkörperung des Glaubens in der Kirche zurück. Das war es,
worauf die kirchlichen Parteien hinstrebten. Die evangelisch = confes=
sionelle oder katholisch = confessionelle Schule kann in ihrem letzten
Wesen nur ein „Theil," ein „Glied" der evangelischen Kirche und
der katholischen Kirche sein, — und damit kehrt der im XVIII. Jahr=
hundert in Preußen -verlassene Begriff der kirchlichen Schule zurück.
Durch stillschweigende Uebereinkunft verschwindet allmälig das Allge=
meine Landrecht aus dem Decernat des Unterrichts. Es wird davon
nur Gebrauch gemacht etwa in quaestionibus betreffend Schulbauten,
Verpflichtung zu Schulbeiträgen, Streitigkeiten über den „Schulpatronat"
und ähnlichen äußerlichen Fragen. Darüber hinaus aber konnte Nie=
mand unsere Verwaltungsbehörden nöthigen, sich in eine Erörterung
über landrechtliche Grundsätze des Schulwesens einzulassen.

Mit der so unmerkbar eingetretenen Rückkehr zur kirchlichen
Schule kehren nun aber, erwünscht und unerwünscht, die rechtlichen
Folgen des Begriffs (Seite 13) zurück in allen 4 Richtungen.

I. Der Religionsunterricht und die religiösen An=
dachten und Uebungen bilden den Haupttheil und Schwer=
punkt der Schule, — nicht mehr bloß einen obligatorischen Theil
des Unterrichtsplanes, sondern den allein wesentlichen, auf welchen

sich die Elementarschule möglicher Weise beschränken kann mit Ein=
ordnung des Lesens und Schreibens. In Kurhessen soll seiner Zeit
der Religionsunterricht bis auf mehr als wöchentlich 20 Stunden ausge=
dehnt worden sein. Ob darin weiter oder weniger weit zu gehen sei, hängt
von dem Ermessen der Verwaltung ab, ·in der Form von Schul=
Regulativen. Macht auch die pädagogische Rücksicht ein Maßhalten
in der Vertheilung des Stoffs rathsam, muß sich der erfahrene Schul=
mann sagen, daß die Ueberladung mit biblischem Lese= und Memorir=
stoff die jugendlichen Gemüther der Religion nicht zu=, sondern ab=
wendet: der kirchliche Standpunkt bleibt von jeder Leistung in dieser
Richtung unbefriedigt.

Eben so hört das Ausscheiden der streitenden Kirche aus der
öffentlichen Schule auf, ein Rechtsanspruch zu sein: die confessionelle
Schule muß die schärfste Geltendmachung der Unterscheidungslehren als
Hauptaufgabe und Verdienst geltend machen. Sie kann Form und
Maß darin nur als Sache einer zeit= und ortsweisen Convenienz nach
außen hin ansehen.

Eben so verlieren die religiösen Andachten der Schule jede
Rücksicht auf die Kinder anderer Confession, welche zur Theilnahme
daran genöthigt sind, aus den Augen. Es wird im Ernst behauptet,
daß kein deutsches Kirchenlied und kein einfaches Gebet für die ein=
fachen Ansprüche einer Schul=Andacht mehr zu finden sei, welches nicht
bloß einer Confession zugehöre. Schon die Feier der Sonn= und Festtage
soll die Vereinigung der Confessionen in einer Schule unausführbar
machen (Sten. Ber. 1868—69. S. 707). „In der confessionslosen Schule
muß der Sonntag und der Sabbath und jeder sonstige katholische und evan=
gelische und jüdische Feiertag gefeiert werden. Geschieht es nicht, dann
ist die confessionslose Schule eine Lüge." „Die Schule muß, wenn
sie Lehrer aus den verschiedenen Confessionen anstellen will, alle Fest=
tage aller Kirchen= und Religionsgesellschaften feiern, oder sie muß,
wenn sie confessionslose, d. h. religionslose Lehrer anstellen kann,
keinen Festtag irgend einer Kirche und Religionsgesellschaft feiern."
(Scheibert, die Confessionalität, S. 81.) Sobald die Staatsschule,
welche dem Religionsunterricht seine Stelle anweist, einmal auf=
hört, sind solche Widersprüche in der That unlösbar.

Allein die Folgen sind noch viel weitertragende.

II. Die Selbständigkeit des wissenschaftlichen Unter=
zichts hört auf; denn in der kirchlichen Schule muß sich dem höchsten
zweck der Erkenntniß der Heilswahrheiten Alles unterordnen. Geschichte,
Nationallitteratur, Sprachen, selbst Naturwissenschaften müssen so gesichtet

werden dem Stoff nach, so behandelt dem Geist und Inhalt nach, daß fi
als Bethätigung der Glaubenswahrheiten erscheinen, daß jebenfalls ni
ein Zweifel oder Widerspruch gegen das katholische Dogma, gegen di
Augustana, gegen den Lutherischen oder Heidelberger Katechismus i
ben jugendlichen Gemüthern entstehen könne. Alle in den Schuler
gelehrte Wissenschaft muß sich also den kirchlichen Unterscheidungs
lehren und Parteistandpunkten unterordnen. Die preußische Schul
verwaltung erkennt keine Verpflichtung mehr an, dieser Richtung be
Unterrichts entgegenzutreten. Der Unterrichtsminister selbst bekennt fi
zu der Ansicht, daß namentlich Geschichte und Nationallitteratur in
einem andern Sinne kaum gelehrt werden könnten (Sten. Ber. de
Abg. 1868/69, S. 706—707. *) Es kommt dabei in Vergessenheit
daß unsere Gesetze die Kinder evangelischer und jüdischer Eltern zwingen, an solchem parteimäßig katholischen Unterricht der Wissenschaften
theilzunehmen (und umgekehrt), daß dieser Zwang gegen einzelne Schüler in Tausenden von kleineren und größeren Schulen bereits actuell
geübt wird. In größerem Maßstab sichtbar wird der Widerspruch gerade in
den Gymnasien und Realschulen. Die heutige Unterrichtsverwaltung

---

*) Es wird noch weitergehend behauptet, daß sobald die Schule aufhöre, ein-
seitig confessionell die Wissenschaft zu lehren, „alle diejenigen Lehrgegenstände und
alle die Partieen in den verschiedenen Unterrichtsgebieten ausgeschlossen werden müssen,
welche an sich das religiöse und ethische Gebiet berühren, oder nur von diesem und
wahrhaft fruchtbar behandelt werden können." — „Dahin gehört die ganze deutsche
Litteratur, die ganze deutsche Geschichte von der ersten Berührung mit dem Christen-
thume, auch die römische Geschichte seit Augustus. Dahin gehört nicht minder ein
wesentlicher Theil des Kunstgebietes, ja selbst die Einführung in die religiösen und
sittlichen Vorstellungen des classischen Alterthums. Es wird aus dieser Schule alles
dasjenige im Unterrichte und aus demselben verschwinden müssen, was im Auf-
fassen und Wiedergeben des Lehrers, so im Auf- und Annehmen des Schülers das
innere Gemüthsleben berührt und von Gemüth zu Gemüth hinüberklingt." (Scheibert, die Confessionalität S. 82. 83). — „Der Schreib-, Rechen-, Mathematik-,
Grammatik-Lehrer ist genau in derselben Lage, Nothwendigkeit und Verpflichtung
wie der Litteratur-, Geschichts-, Muttersprach- und Religionslehrer, auf die Willens-
motive zurückzugehen, und in Anregungen, Ermunterungen, Ermahnungen, Ver-
mahnungen, Strafreden ꝛc. auf die in ihm selber lebendigen sittlichen Willens-
motive zurückzugreifen. Denn was der Lehrer selber nicht innerlich anerkennt und
ist, dazu kann er auch keinen ohne äußere Gewalt ziehen. Alle diese Willens-
anregungen, Ermunterungen ꝛc. werden, wenn die Lehrer von verschiedener Confession sind, genau soweit und nicht weniger sich unterscheiden, als die Sittenpredigten
der katholischen, evangelischen, jüdischen, dissidentischen, reform-jüdischen, reform-
katholischen und reform-evangelischen Prädicanten. Und nun dazwischen ein Zögling, der alle diese Differenzen anhören, hinnehmen und gelten lassen muß, alle
gar annehmen, anerkennen und zur Richtschnur des Handelns nehmen soll? (Scheibert S. 67.)

selbst (Wiese S. 439) giebt ein Verzeichniß von 14 „katholischen" Gymnasien, auf welchen sich je 117, 74, 135, 89, 81, 78, 130, 51, 96, 84, 87, 100, 111, 115 evangelische Schüler befinden, ein Verzeichniß von 6 „evangelischen" Gymnasien, an welchen je 88, 260, 117, 28, 215, 52 katholische Schüler theilnehmen. Auf dem „evangelischen" Gymnasium zu Ratibor befanden sich sogar 260 katholische Schüler neben 159 evangelischen. Niemand kann sich verhehlen, daß der Zeitpunkt nicht fern liegt, wo in Folge der Freizügigkeit und Mischung der Confessionen Mißverhältnisse dieser Art in allen Provinzen zur Regel werden. Es wird dabei, ebenso vergessen, daß das Gesetz alle Hausväter zwingt, die Gebäude zu bauen und die Lehrer zu erhalten, welche den Gemüthern ihrer Kinder die kirchlich-parteiischen Anschauungen der Gegenseite einprägen sollen. In ernster, voller Consequenz wird mit dieser kirchlichen Zerreißung des Unterrichts die Gesammtarbeit der deutschen Wissenschaft auf die Stufe der Scholastik zurückgedrängt. Die confessionelle Pädagogik will das „cum grano salis" verstehen: vom Standpunkt der Kirchlichkeit als höchstem Grundsatz der Schulverwaltung bleibt die Forderung eine unendliche und unbegrenzbare.

Mit der Lehre in Wechselwirkung tritt dann das Personal.

III. Die berufsmäßige Selbständigkeit des Lehrpersonals hört auf. Aus Gründen einer zweckmäßigen Arbeitstheilung kann zwar ein besonderes Lehrpersonal bestehen, diesem Personal können auch die Privilegien der Staatsbeamten ertheilt werden, wie den Geistlichen selbst. In der Hauptsache aber erscheint das Personal der confessionellen Schulen als ein kirchliches Personal, wie in der historischen Bildung unseres Schulwesens.

Es folgt daraus zunächst als selbstverständlich, daß jüdische Lehrer von jedem christlichen Schulamt ebenso unbedingt und ausnahmslos auszuschließen sind, wie von den entsprechenden Kirchenämtern.

Es folgt sodann weiter, daß auch in der mehrklassigen Schule alle Lehrer ausnahmslos ein und derselben Confession angehören müssen. Die rechtliche Begründung dieser Thesis wird sich unten ergeben. Die Schulverwaltung versucht einen Beweis aber auch aus pädagogischen Gründen: „Eine Schule kann ohne gleiche Confessionalität der Lehrer nicht wohl erziehend wirken." (Scheibert, S. 21). „Viele Erzieher eines Zöglings, — diese Voraussetzung liegt in der Organisation der höheren Schulen, und sie bedingt eine gleiche Confessionalität der Lehrer." (a. a. O. S. 52). „Man denke drei, vier, ja mehre confessionell verschieden gegründete und verschieden innerlich gestimmte Lehrer zugleich auf denselben Zögling einwirkend, welche Gefühlsstörungen muß das hervorbringen! Wie muß dem kindlichen und Knaben-Herzen darunter zu Muthe werden? Gleich-gültigkeit gegen das Gemüthsleben der Lehrer und Verweigern der Annahme von erziehender Speise ist der geringere Schade. Verstimmte und klanglose, verschlossene und eigene Weiden sich suchende Gemüther werden unter solchen zerstörenden Einwirkungen heranwachsen." (S. 58). „Wo die Lehrer ungleicher Confessionalität sind, da kann sich ein Schulgeist gar nicht bilden, so wenig wie ein und derselbe Mensch zugleich Katholik, Protestant, Jude, Türke, Heide sein kann." (S. 63). — Man mag solche Grundsätze mehr oder weniger ungeschickt aus der Psychologie ableiten: das eigentlich Entscheidende ist der kirchliche Gesichtspunkt, der auch das Personal der Schule für die Kirche zurück-fordert, und darum ist der Grundsatz noch viel weiter tragend.

Der Gesichtspunkt der Reinheit des kirchlichen Glaubens und des kirchlichen Glaubenseifers wird damit der entscheidende für die Auswahl und für die Disciplin der Lehrer, neben welchem der Lehrberuf, der Erziehungsberuf, die wissenschaftliche Bildung in zweite Linie zurücktreten. Man muß nicht bloß nach den Erlassen der Schul-behörden, sondern durch Nachfrage bei den Schulen ermitteln, in welchem Maße fortschreitend die Unterrichts-Verwaltung Anstellungen und Disciplin in diesem Sinne handhabt. Auf katholischer Seite muß von dieser Richtung aus der Uebergang des Erziehungswesens auf die religiösen Orden, insbesondere auf die Jesuiten und ihre Affiliirten gefördert werden. Auf evangelischer Seite muß sich ein Analogon bilden, welches neben der officiellen Schul-Verwaltung ein vertrauliches System der Berichterstattung über den „kirchlichen und inneren Geist" der Schulen bildet, eine Art von Ordenssystem inner-halb der staatlichen Schulordnung.

Folgerecht endlich muß die bestimmende Entscheidung über die Anstellung des confessionellen Lehrpersonals nicht dem Staat, sondern der Kirche zustehen. Es kann für die Nomination zu kirchlichen Aemtern allerdings ein Staats- und Privatpatronat statt-finden: die berufende Autorität bleibt aber die Kirche, welche die Gesichtspunkte des rechten Glaubens und des rechten Geistes im Lehr-personal endgültig entscheidet. In Zusammenhang damit hat sich die preußische Verwaltung im Verlauf der Zeit einen Begriff vom „Schul-patronat" ausgebildet, welcher weit über jeden Anhalt in den allge-meinen Landesgesetzen hinausgeht. Die administrative Technik kennt einen Patronat und Compatronat, einen Staats-, Communal- und Privatpatronat bei jeder Schule (Wiese, Schulwesen S. 50—410),

welcher immer die Kirche als eigentliche Inhaberin und Regie=
rerin der Schule voraussetzt, während der Titel des Landrechts von den
Schulen das Wort Patronat gerade sorgfältig ausgetilgt hat, um jener
Grundidee keinen Vorschub zu geben. Die Kirche fordert für ihr
Personal auch consequent das Anstellungsrecht zurück. Die katholischen
Bischöfe haben sich zwar in der Regel darauf beschränkt, die Bestal=
lungen der katholischen Elementarlehrer (wie denn auch bei den
Streitigkeiten mit dem Bischof von Münster 1846 das Recht der
bischöflichen Genehmigung anerkannt wurde), sodann das Ernennungs=
recht für die katholischen Schulinspectoren, für die Religions=
lehrer der höheren Schulen und das Mit=Directorat der Schule
für den Religionslehrer zu beanspruchen.*) Es muß indessen aner=
kannt werden, daß dies selbstgesetzte Schranken sind, deren fernere
Innehaltung nur von dem Geist der Mäßigung erwartet werden darf,
für deren Ausdehnung aber in der kirchlichen Schule keine Schranke
besteht. Was dabei noch fehlte, wurde durch das nun folgende kirchliche
Aufsichtsrecht nachgeholt.

IV. Die Oberaufsicht der confessionellen Schule ge=
bührt der Kirche als solcher, nicht dem Staate. Es mag
der Staat im Interesse der allgemeinen Ordnung, der Vermögens=
rechte und Einkünfte Aufsicht üben, aber der entscheidende Gesichts=
punkt der Confessionsschule liegt in der stetigen Ueberwachung, daß in

---

*) „Bei beiden Confessionen ist zur Anstellung von Religionslehrern die Ueber=
einstimmung der kirchlichen mit der Schulbehörde erforderlich. Religionsunterricht
darf nur solchen Lehrern oder Geistlichen übertragen werden, gegen welche die
betreffenden kirchlichen Behörden keine Einwendung gemacht haben. Ebenso können
neue Religionslehrbücher nur mit Genehmigung der geistlichen Behörde
eingeführt werden. Hinsichtlich der evangel. Confession gehört diese Angelegenheit
zu dem gemeinschaftlichen Ressort des Ministers und des Ev. O.=Kirchenraths.“
(Wiese's Verordnungen I. 10.) — „Hinsichtlich der Erwerbung der bischöflichen Ge=
nehmigung besteht keine feste Praxis. Entweder weist sich der Bewerber um
eine Religionslehrerstelle gegen die besetzende Behörde über den bereits erlangten
Besitz einer missio canonica aus; denn erst durch die ihm ertheilte bischöfl. Geneh=
migung ist seine Qualification vollständig dargethan; oder die besetzende Schulbehörde
übernimmt es, ihrerseits über die kanonische Befähigung eines Bewerbers mit der
kirchlichen Behörde in Communication zu treten. (Wiese's Verordnungen II. 118).
— Nach dem Grundcharakter der Confessionsschulen ist aber nicht blos der erhobene
Anspruch, den Religionslehrer zum Mitdirektor der Anstalt zu machen, ihm die
Hauptstimme bei Entwerfung des Schulplanes, bei Abstimmungen über die Ver=
setzung, beim Urtheil über die sittliche Reife zu geben, sondern auch eine maßgebende
Stimme bei der Gesammternennung des Personals begründet, so wie z. B.
bei der Realschule zu Münster die Zustimmung des Bischofs nach jeder Lehrerwahl
stattfindet (Wiese Schulw. 299).

ihr der rechte Glaube gelehrt, daß die Lehre der Heilswahrheiten, daß der kirchliche Geist der Erziehung alles Uebrige beherrsche. Folgerecht muß im streitigen Falle den kirchlichen Behörden die entgültige Entscheidung (Jurisdiction) zustehen. Erzpriester und Superintendenten, evangelische und katholische Ortsgeistliche haben nicht nur den religiösen Theil des Unterrichts zu überwachen, sondern das Gesammtgebiet des wissenschaftlichen Unterrichts nach seiner Uebereinstimmung mit dem kirchlichen Geist.*) Sie üben das Aufsichtsrecht nicht in Delegation des Staats, sondern als kirchliche Obere aus eigenem Recht der Kirche „kraft göttlichen Auftrags die Jugend zu lehren." Es versteht sich, daß demnach alle Schulpläne der Genehmigung des evangelischen Ober-Kirchenraths und der katholischen Bischöfe bedürfen, daß keine Aenderung des Schulplanes wie aller organischen Einrichtungen ohne ihre Zustimmung erfolgen kann. Jede

---

*) Den General-Superintendenten von Amtswegen werden Befugnisse derart zugestanden in der Instr. v. 14. Mai 1829 Nr. 10: „Die Gegenstände, auf welche welche sie ihr Augenmerk vorzüglich zu richten haben, sind: die Beschaffenheit der Elementar- und niederen Bürgerschulen, als der Vorbereitungsanstalten für die Kirche, und die religiöse und kirchliche Tendenz der gelehrten Schulen und höheren Bürger- (Real-) Schulen." — Eine ähnliche Auffassung waltet in der rheinisch-westphälischen evangelischen Kirchenordnung v. 5. März 1835, in welcher der Superintendent als solcher über die Amtsverwaltung und den Lebenswandel der Schullehrer nach den Grundsätzen der Kirchenordnung die Aufsicht führt und die Disciplinaruntersuchungen gegen die Schullehrer führt (§ 37); die Provinzialschulsynode über die Erhaltung der Reinheit der evangelischen Lehre in Kirchen und Schulen wacht (§ 49). Indessen wird das Entscheidungsrecht des Staats insoferngewahrt, als Beschwerden der Provinzialsynode über Mißbräuche im Schulwesen an die betreffenden Staatsbehörden verwiesen werden (§ 49). — Die weitergehenden Tendenzen des neueren Verwaltungsrechts werden auch in dem v. Ladenberg'schen Entwurf ersichtlich: Die Aufsicht über den religiösen Unterricht wird den Schulinspektoren von der Kirchenbehörde übertragen, wenn nicht die Kirchenbehörde vorzieht, besondere Organe damit zu betrauen (§ 69). Die kirchliche Behörde bestimmt die Lehrbücher für den Religionsunterricht (§ 72). Bei Einführung der Lese- und Lehrbücher der Geschichte soll sich die Schulverwaltung mit den kirchlichen Behörden in Vernehmen setzen. Die Motive dazu (Aktenstücke S. 191. 192) zählen die acht der Kirche zugestandenen Rechte auf, darunter die Anerkennung, daß die Volksschule auf dem confessionellen Princip ruhe, Mitwirkung bei Feststellung des Grundlehrplans, Einführung der betreffenden Lese- und Lehrbücher, Einfluß auf die religiöse Vorbildung der Lehrer, Mitwirkung bei allen Prüfungen der Lehrer, Einspruchsrecht gegen die Anstellung eines jeden Lehrers, Beaufsichtigung des gesammten Unterrichts, sowie der ganzen Thätigkeit und Wirksamkeit in Lehre. Methode und Zucht durch den Pfarrer, revidirende Kenntnißnahme von jedem Unterrichtsgegenstand, von der ganzen Richtung und dem Geist der Schule durch die Kirchenbehörden.

endgültige Entscheidung (Jurisdiction) über streitige Fragen, in welchen sie eine confessionelle Seite erkennen, muß endgültig dem Ober=Kirchenrath und den katholischen Bischöfen zustehen, welche letztere dabei den päpstlichen Anordnungen zu folgen haben, nachdem eine landesherrliche Genehmigung der päpstlichen Erlasse, das sogenannte Placet, nicht mehr stattfindet.

Die Unklarheit der herrschenden Vorstellungen hat für diesen Inbegriff von Widersprüchen die Formel erfunden: „Den religiösen Unterricht in der Schule leiten die betreffenden Religionsgesellschaften," — ein Satz, der zwar in Preußen noch nicht rechtliche Gültigkeit hat (Art. 112 der Verf.=Urk.), welcher aber wahrscheinlich seinen Kreislauf durch die deutschen Schulgesetze, vielleicht durch halb Europa finden wird.

Dies sind die Folgesätze aus dem System der confessionellen Schulen, welche im Lauf des letzten Menschenalters der Reihe nach wirklich aufgetreten sind. Das neue Prinzip wurde für die Elementarschule mit Leichtigkeit aus der äußeren Erscheinung abgeleitet, da solche entweder mit einem evangelischen oder mit einem katholischen Lehrer besetzt ist. Aber auch für die höheren Schulen ist dasselbe in den letzten Jahren zum vollen formulirten Abschluß gekommen:

„Das confessionelle Verhältniß. Die bisher in Preußen anerkannten höheren Schulen haben einen christlichen Grundcharakter, und sind danach entweder evangelische, oder katholische, oder paritätisch beiden Confessionen angehörige Simultananstalten. Nach dem confessionellen Charakter der Schule richtet sich die Wahl des Direktors und der Lehrer, der Mitglieder des Schulcuratoriums" u. s. w. (Wiese's Schulwesen I. S. 20. S. 37.)

Dies einfache Resultat ist freilich nicht so einfach erlangt, wie es die Wortfassung ausdrückt. Es standen der Durchführung der „Confessionsschulen" so zahlreiche thatsächliche und rechtliche Hindernisse entgegen, daß die Verwaltung sich noch eine Kette weiterer Rechtsbegriffe bilden mußte, um namentlich die höheren Schulen den verschiedenen Kirchen zu übereigenen. Zu diesem Zweck sind die weiteren unechten Begriffe der stiftungsmäßigen, dotationsmäßigen, observanzmäßigen, statutenmäßigen und simultanen Schulen gebildet, deren Entwirrung kaum weniger mühsam sein wird, als ihre Bildung.

1) Ein angeblich stiftungsmäßiger Charakter wird geltend

gemacht für alle von früheren Jahrhunderten her bestehenden Schulen.
Da bis zur Aenderung unserer Gesetzgebung im XVIII. Jahrhundert
die Schule Annexum der Religionsübung war, so konnten seit den
Zeiten der Reformation natürlich alle Schulen nur entweder dem
katholischen oder lutherischen oder reformirten Religionstheil angehören,
und nach Maßgabe des westphälischen Friedens, des Normaljahres 2c.
entstanden daraus bestimmte Rechtsforderungen des einen oder andern
Religionstheils. Dies ist der sog. historische Standpunkt der Unterrichtsverwaltung. Die mit dem Allgemeinen Landrecht abschließende
preußische Gesetzgebung hat nun aber in rechtlicher Novation diese
separatistischen Ansprüche zusammengeschmolzen durch die Grundgesetze
vom Schulzwang, der Parität und der gemeinen Schullast, vermöge
deren die Erhaltung der Schulen von der Staatsgesammtheit übernommen ist, entweder unmittelbar, oder mittelbar durch Zwangs- und
Ermächtigungsmaßregeln zur Aufbringung der Schullast Seitens der
Gemeinden und Schulsocietäten. Mit der Erhebung der Schulen zu
„Veranstaltungen des Staats," mit der Ausdehnung der Erhaltungs-
pflicht auf alle Einwohner des Staats sind auch die Schulfonds zu
einem öffentlichen Fonds consolidirt, unter Leitung der Staatsgewalt.
Die Novation der Verpflichtungen zieht die Novation der Berechtigungen nach sich. Jedem Religionstheil bleibt zugesichert die Erhaltung seines Anrechts an 'der Schulstiftung: aber kein Religionstheil
kann sich mehr auf ein exclusives Recht (A. L.-R. II, 12 § 10) berufen gegen die Gesammtheit, welche die neueren weit überwiegenden,
von Jahr zu Jahr wachsenden Schullasten ohne Rücksicht auf Confession zu tragen hat. Die öconomische Basis der Elementarschule
ist überhaupt erst durch den Staat geschaffen. An den höheren
Schulen haben die Kirchen und religiösen Orden, insbesondere auch
der Jesuitenorden, einen achtbaren Antheil gehabt, der aber unter der
Herrschaft unserer Landesgesetze zu einem kleinen Bruchtheil herabgesunken ist. Die amtlichen Uebersichten ergeben, daß zu den 2,580,684 Thlrn.,
welche die höheren Unterrichtanstalten in Preußen im Jahre 1864 er-
forderten, 526,722 Thlr. der Staat unmittelbar oder aus den unter
seiner Verwaltung stehenden Fonds giebt, die Stadtgemeinden
401,046 Thlr., die Schulgelder ohne Unterschied der Confession
1,193,055 Thlr., die Kirchen und die nicht unter Staatsverwaltung
stehenden Stiftungen zusammen 75,637 Thlr. Der Antheil der Kirchen
im weitesten Sinne ist also auf weniger als 3½ Procent herabgesunken.

Diesen Rechtsverhältnissen gegenüber macht sich die Unterrichts-

verwaltung ihren Beweis sehr leicht, indem sie alle im Refor=
mationszeitalter schon vorhandenen Schulen kurzweg für
„stiftungsmäßig" evangelisch oder katholisch erklärt,*) und damit
die ganze Hauptmasse der älteren Schulen zu „Confessionsschulen"
macht. Dieselbe Betrachtungsweise zieht auch die verhältnißmäßig klei=
nere Zahl der im XVII. und XVIII. Jahrh. entstandenen Schulen
als „Confessionsschulen" nach sich. Es wird bei dieser Argumentation
nicht in Zweifel gezogen, daß die ursprünglich katholischen Schulen
durch landesherrliches jus reformandi in lutherische und reformirte
Schulen umgewandelt sind. Das Allgemeine Landrecht aber,
welches die vorhandenen wiederum in „Veranstaltungen des Staats"
mit paritätischem Charakter verwandelt, ist für die Verwaltung einmal
nicht vorhanden. Von den neuern Hergängen wird nur insofern Kennt=
niß genommen, als die früher lutherischen und reformirten Schulen
durch die Union „evangelisch" geworden sein sollen.**) Allein noch viel
durchgreifender ist die bereits früher durch das Allgemeine Landrecht II, 12.
§§ 1, 2, 9, 10, erfolgte staatliche Umwandlung, so daß jeder Versuch zur

---

*) „Stiftungsmäßig evangelisch" oder „evangelisch" aus der Refor=
mationszeit Wiese S. 54 (anno 1525), 55 (a. 1534. 1525), 60 (a. 1545), 63 (a. 1593),
64 (a. 15 6), 66 (a. 1587), 67 (a. 1558), 68 (a. 1570), 69 (a. 1552), 74 (a. 1476),
77 (a. 1586), 82 (a. 1557), 93 (a. 1574), 105 (a. 1540), 114 (a. 1571), 115 (a. 1589),
117 (a. 1541), 119 (a. 1543), 124 (a. 1539), 127 (a. 1563), 130 (a. 1573), 131 (a. 1520),
134 (a. 1537), 135 (a. 1533), 141 (a. 1543), 144 (a. 1590), 146 (a. 1536), 148 (a. 1170),
151 (a. 1548), 156 (a. 1560), 157 (a. 1561), 174 (a. 1594), 176 (a. 1559), 188 (a. 1556),
195 (a. 1530), 196 (a. 1562), 217 (a. 1555), 229 (a. 1591), 234 (a. 1338), 241 (a. 1591),
242 (a. 1524), 244 (a. 1550), 246 (a. 1540), 249 (a. 1575), 260 (a. 1522), 263 (a. 1529),
264 (a. 1525), 267 (a. 1538), 271 (a. 1543), 273 (a. 1554), 274 (a. 1561), 277 (a. 1542),
282 (a. 1561), 284 (a. 1543), 286 (a. 1575), 288 (a. 1524), 291 (a. 1544), 301 (a. 1521),
304 (a. 1588), 309 (a. 1530), 311 (a. 1529), 312 (a. 1558), 316 (a. 1576), 322 (a. 1525),
324 (a. 1532), 328 (a. 1562), 332 (a. 1530), 353 (a. 1545), 362 (a. 1559), 368 (a. 1540),
373 (a. 1582), 390 (a. 1555), 391 (a. 1572) — evangelisch=lutherisch W. 167
(a. 1293), 168 (a. 1525), 171 (a. 1525). — Stiftungsmäßig katholisch W.
212 (a. 1573), 299 (a. 1498), 378 (a. 971), 382 (a. 1302), 384 (a. 1580), 386 (a. 1573),
402 (a. 1561).

**) Die meisten ehemals lutherischen oder reformirten Schulen werden in der
Uebersicht (Wiese, Schulw. S. 50 bis 410) schlechthin als „stiftungsmäßig
evangelisch" bezeichnet; doch mit Abweichungen. Stiftungsmäßig reformirt,
S. 56 (a. 1664); — S. 96, „stiftungsmäßig evangelisch, ursprünglich reformirt;
von 1613 bis Anfang des XIX. Jahrhunderts mußten die Lehrer reformirt sein"
(Joachimsthal'sches Gymnasium); — S. 101, evangelisch, stiftungsmäßig reformirt
(a. 1689); — S. 102, stiftungsmäßig evangelisch, ursprünglich reformirt und
lutherisch (a. 1681); S. 122, stiftungsmäßig reformirt (a. 1694. 1813); — S. 167,
168, 171, evangelisch=lutherisch (Breslau); — S. 169, evangelisch=refor=
mirt (Breslau). — S. 326 lutherisch und reformirt.

4*

Rückvindication vergeblich ist. Kein Verwaltungsgerichtshof wird anders verfahren können, als den Unterrichtsminister zu dem Anerkenntniß zu nöthigen, daß in Preußen alle **ehemals** dem katholischen, lutherischen, reformirten Religionstheil gehörigen Schulen eben Staatsschulen geworden sind.

2) Der angeblich dotationsmäßige Charakter der höheren Schulen steht mit dem vorigen im engen Zusammenhang, und liegt auch mit dem nachfolgenden im Gemenge. — Es ist im Allgemeinen anerkannt, daß wenn der Staat kirchliche Güter säcularisirt, eine naturalis obligatio der Verwendung zu gleichartigen gemeinnützigen Zwecken übrig bleibt. Der kirchliche Parteieifer macht aus dieser Naturalobligation eine Art von Realnexus, nach welchem der confessionelle Charakter jedem Stück des Kirchenguts anhaften, und durch den Uebergang an eine Schulanstalt die Institution selbst zu einer „kirchlichen" machen soll. Da nun bis in die neuere Zeit die meisten Schulanstalten irgend ein kleines oder größeres Stück kirchlicher Erbschaft aus der vorlandrechtlichen Zeit an sich hatten: so soll das Erbstück die Schule zu einer „evangelischen" oder „katholischen" machen. Dem Landrecht zum Trotz wird diese Methode sogar in die neu entstandenen Schulen fortgesetzt, und es entsteht daraus ein stattliches Verzeichniß von evangelischen und katholischen Schulen „nach Dotirung," „nach Dotationsmitteln," „nach Dotationsbezügen," „nach Dotationszuschüssen" u. s. w.*) In der Wirklichkeit stehen diese Dotationen sehr gewöhnlich in wunderbarem Ver-

---

*) Nach Dotirung, nach Dotationsmitteln, Dotationsbezügen, Dotationszuschüssen, evangelisch, Wiese S. 105, 110, 114, 117, 118, 119, 124, 125, 127, 130, 132, 136, 141, 143, 144, 146, 151, 153, 169, 171, 174, 176, 182, 196, 198, 217, 232, 234, 238, 241, 242, 244, 246, 249, 260, 263, 267, 277, 311, 332, 359, 362, 368, 376, 377, 379, 391, — ebenso katholisch, Wiese S. 61, 79, 84, 85, 170, 179, 187, 201, 203, 204, 206, 212, 286, 299, 301, 302, 306, 307, 308, 316, 318, 319, 330, 342, 346, 349, 375, 378, 384, 386, 887, 402, — nach Dotirung eine Simultananstalt S. 223. — Beispiele: Wiese S. 117. Gymnasium Neu-Ruppin, Etat 9116 Thlr.: Zinsen von Kapitalien 496 Thlr., Zuschuß vom Staat 2216 Thlr., vom Mons Pietatis 130 Thlr., Klosterkasse 12 Thlr., von der Ortspfarrkirche 238 Thlr., von der Stadt 676 Thlr., Schulgelder 4874 Thlr., sonstige Einnahmen 474 Thlr., also: nach Dotationsbezügen evangelisch. — S. 118 Realsch. zu Perleberg, Etat 7300 Thlr.: Bezüge von der St. Jakobi-Kirche 242 Thlr., vom St. Spiritushospital 268 Thlr., von der Stadt 3300 Thlr., von den Schülern 3200 Thlr., sonstige Einnahmen 290 Thlr., also: evangelisch auch nach Dotationsbezügen. — S. 124 Frankfurt a. O. Etat 12708 Thlr.: Zinsen 26 Thlr., Leichengebühren von St. Marien 80 Thlr., Communalzuschuß 3500 Thlr., Schulgelder 8810 Thlr. Sonstige E. 292 Thlr., also: nach Dotationsbezügen evangelisch u. s. w.

hältniß zu der actuellen Unterhaltung der Schule. Das aus dem Kirchengut herrührende Schulgebäude ist vor Jahrhunderten abgebrannt, abgebrochen, zwei=, dreimal aus andern Mitteln auferbaut; die Schule an einen andern Ort verlegt; die lateinische Schule ist Jahrzehnte hindurch erloschen gewesen, und es ist später eine höhere Bürgerschule an deren Stelle errichtet; die heutige Schule besteht zu $^9/_{10}$, $^{19}/_{20}$ oder mehr durch das Schulgeld der verschiedenen Confessionen, durch Ausstattung des Staats und der Stadtgemeinden; der Gesammtantheil der Kirchen an dieser ganzen Schulunterhaltung ist auf weniger als $^1/_{30}$ herabgesunken: allein der character indelebilis bleibt. Die ganze preußische Gesetzgebung hat darin nichts zu ändern vermocht.*) Jedes Stück wirkliches oder gedachtes Kirchengut übereignet die Schulanstalt einem Religionstheil als „confessionelle" Schule, auch wenn nicht ein Stein von dem einstmaligen Kirchengebäude mehr vorhanden ist!

Auch provinzialrechtliche Sonderbestimmungen, wie sie in den Provinzen Schlesien und Preußen**) vorkommen, enthalten nur eine Zusicherung an den katholischen Religionstheil, daß gewisse Güter des aufgehobenen Jesuitenordens für solche Schulanstalten verwendet werden sollen, in welchen der katholische Religionsunterricht von

---

*) Bei den Schulgesetzberathungen von 1849 wurde im Ernst beabsichtigt, einen confessionellen Charakter an die Dotation zu knüpfen: „Die ausschließlich durch alljährige Zuschüsse aus Staatsfonds dotirten höheren Schulen haben fortan keinen confessionellen Charakter. — Insofern die höheren Schulen aber als confessionelle Anstalten gestiftet und zu diesem Zwecke mit Vermögen ausgestattet sind, oder ein, Recht auf jährliche Zuschüsse aus bestimmten confessionellen Specialfonds erhalten haben, behalten sie ihren confessionellen Charakter" (Aktenstücke S. 148); — und in den v. Ladenberg'schen Gesetzentwurf § 118 wurde wirklich eine Clausel der Art aufgenommen. Die heutige Verwaltung verfährt, als ob solche Entwürfe bereits Gesetz geworden wären.

**) Die Güter des aufgehobenen Jesuitenordens in Schlesien waren a. 1772 ff. dem „Schuleninstitute" konservirt worden. Durch das Regl. v. 26. Juli 1800 wurde näher erklärt: daß das sämmtliche Vermögen des Instituts auf ewige Zeiten zum „römisch=katholischen Schulfonds" gewidmet, der von den geistlichen Stiften bewilligte Beitrag allein dazu verwendet bleiben solle. — In dem Schul=Reglement vom 18. Mai 1801 werden 6 Gymnasien bezeichnet „als zur gelehrten Bildung Unserer katholischen Unterthanen Schlesiens ausreichend." Solange dies Provinzialrecht besteht, sind diese Fonds zu verwenden zu Gymnasien mit katholischem Religionsunterricht; daß dagegen Kinder anderer Confessionen von solchen Gymnasien auszuschließen, daß solche Gymnasien einen parteimäßig=confessionellen Unterricht in der Geschichte, Litteratur ꝛc. zu ertheilen hätten, wird ein preußischer Verwaltungsgerichtshof nach den Rechtsgrundsätzen des Allgemeinen Landrechts sicherlich niemals annehmen. — Aehnliche Verhältnisse kommen in der Provinz Preußen vor.

katholischen Lehrern ertheilt wird. Nach Publikation des Allgemeinen
Landrechts können auch diese Schulen Kinder anderer Confessionen
nicht mehr ausschließen, und nehmen die gesetzlichen Merkmale an, ohne
welche sie „öffentliche" Schulen im Sinne des Allg. Landrechts nicht
sein könnten. Wie alle Provinzial- und Localrechte bestehen sie als
Enclaven so, daß sie mit den durchgreifenden Grundsätzen des Landrechts nicht in Widerstreit treten können. Es giebt daher auch keine
„provinziellen Confessionsschulen," sondern nur provinzielle Schulen,
denen die Verwendung bestimmter Mittel zur Erhaltung und Bestrei-
tung des katholischen Religionsunterrichts zugesichert ist.

Ebenso wenig können Privatstiftungen und Privatbota-
tionen eine Schule zu einer Confessionsschule machen; denn eine nur
für eine Kirche gestiftete Schule würde nach dem Allg. Landr. keine
„öffentliche" Schule sein, d. h. an den Rechten und Privilegien der
öffentlichen Schulen nicht theilnehmen dürfen. Es kann nur von
stiftungsmäßigen Beschränkungen einzeler Zuwendnngen die Rede
sein, soweit ein Privatstifter seine Zuwendung an eine formulirte Bedingung geknüpft hat. Auch solche Specialbedingungen werden aber
nur ausführbar sein, soweit sie nicht im Widerspruch mit den landrechtlichen Grundgesetzen des Schulwesens stehen. Zulässig ist beispielsweise
eine Stiftungsbedingung, die nur für Lehrer evangelischer Confession
bestimmt wäre. Unzulässig an sich ist die Bedingung, daß nur Kinder
einer bestimmten Confession zur Schule zuzulassen; eine solche Anstalt
könnte nach § 10. A. L.-R. II. 12. nur mit den Rechten und Beschränkungen einer Privatschule bestehen.*)

3) Der angeblich observanz- und verwaltungsmäßige
Charakter wird hauptsächlich aufgestellt, um den neuen Verwal-

---

*) Bei Privatstiftungen scheint angenommen zu werden, daß die Confession
des Stifters die Confession der Schule bestimme. In Wiese S. 70 wird die v. Con-
radi'sche Schulanstalt als „confessionell-evangelisch" bezeichnet, obwohl die aus
dem Testament citirte Stiftungsbestimmung von der Confession der Lehrer und
Schüler nichts enthält (vgl. S. 138). — S. 185 (a. 1708): „weil aus einer
exclusiv-evangelischen Stiftung, dem St. Johannisstift (a. 1646), hervorgegangen,
muß die Ritterakademie als eine stiftungsmäßig evangelische Anstalt angesehen
werden." — Wirksam sind allerdings stiftungsmäßige Beschränkungen der Zuwendung,
wie bei den Gehaltszulagen aus der Streit'schen Stiftung am grauen Kloster zu
Berlin an evangelische Theologen. Rechtlich wirksame Beschränkungen einer
Zuwendung an Lehrer oder Schüler einer Anstalt machen aber nicht die öffentliche
Anstalt selbst zu einer evangelischen oder katholischen. Andere Stiftungen s. bei
Wiese S. 129, 145, 147, 199, 215, 239, 271, 274. — Receßmäßige S. 198, 243.
— Autonomisch-katholisch S. 346.

tungsmaximen bei den im laufenden Jahrhundert entstandenen Schulen einen angeblich bindenden Charakter zu geben. Aus den wiederholt angegebenen Gründen hatte sich eine stillschweigende Dienstpragmatik gebildet, welche in entschieden evangelischen Städten in der Regel evangelische Lehrer, in den katholischen katholische Lehrer anzustellen pflegte. Die neuere Verwaltung setzte diese Praxis auch da fort, wo ihre Angemessenheit mehr als zweifelhaft werden mußte. Es war gewiß nicht sachgemäß, wenn beispielsweise in der oben angegebenen Gruppirung (Wiese S. 439) an 14 sogenannten katholischen Gymnasien ausschließlich katholische Lehrer angestellt wurden, obgleich darin 1351 evangelische Schüler zu unterrichten waren, an anderen 6 Gymnasien nur evangelische Lehrer, obgleich 760 katholische Schüler an dem Unterricht Theil nahmen. Es ist sogar geradezu eine Verkehrtheit, wenn an dem angeblich „evangelischen" Gymnasium zu Ratibor ausschließlich evangelische Lehrer ernannt werden für $^3/_8$ evangelische und $^5/_8$ katholische Schüler. Man behielt aber jene Praxis unter veränderten Umständen nicht nur bei, sondern verschärfte sie, und versuchte ihr nun den Charakter einer rechtlich bindenden Observanz zu geben. Aus dem Umstand, daß nur Katholiken oder Protestanten als Lehrer bei einer Schule ernannt seien, wird gefolgert, daß sie eine evangelische oder katholische Schule sei, — so wie im Zirkelschluß aus dem confessionellen Charakter der Schule wieder geschlossen wird, daß Lehrer einer bestimmten Confession angestellt werden müssen. Auf diesem Wege entstehen die untergeschobenen Begriffe einer nach Herkommen und Verwaltung confessionellen Schule, mit zahlreichen Variationen des Ausdrucks, nach Ursprung und Verwaltung, nach Zweck und Verwaltung u. s. w.[*] — Für die Entstehung einer solchen bindenden Observanz fehlt es nun aber

---

[*] Nach Entstehung und Herkommen evangelisch Wiese S. 56 (a. 1801); nach Verwaltung evangelisch Wiese 57 (a. 1843), 232 (a. 1778), 360 (a. 1841), 364 (a. 1851); evangelisch nach Stiftungszwecken und Herkommen Wiese S. 62 (a. 1724); nach kirchlichem Zusammenhang u. Verwaltung evangelisch S. 65 (a. 1839), nach Herkommen und Verwaltung evangelisch S. 75 (a. 1841), 358 (a. 1829); nach Ursprung u. Verwaltung evangelisch S. 76 (a. 1816); nach dem Zweck der Schulreform v. 1557 u. nach Herkommen evang. S. 82 (a. 1855); nach Stiftung u. Herkommen evangelisch S. 146 (a. 1536. 1812); nach Entstehung u. Verwaltung evang. S. 195 (a. 1837), 329 (a. 1862); nach Verwaltung u. geschichtlicher Entwickelung evang. S. 247 (a. 1513. 1836); nach Stiftung u. Verwaltung evang. S. 289 (a. 1835); nach Min.-Rescr. v. 1854 katholisch S. 353; bisher statutarisch nichts bestimmt, doch „wird sie evangelisch sein" 367 (a. 1857); nach dem Zweck der Wiederherstellung evang.

in Preußen nicht nur an gesetzlichen Vorbedingungen und an einer gesetzlichen Frist: sondern eine solche würde als contra jus publicum null und nichtig sein, weil sie eine Beschränkung der Königlichen Prärogative der Amtsernennungen, eine Abänderung der Staatsdienergesetze und der wichtigen Verfassungsbestimmungen enthielte.

Ebenso juristisch haltlos ist der connexe Begriff einer confessio=nellen Schule nach kirchlichem Zusammenhang, welcher auch wieder mit der dotationsmäßigen Stiftungsschule zusammenfließt. — Bei manchen höheren Schulen ist von Alters her eine Lehrerstelle verbunden mit der Cantorstelle an einer bestimmten Kirche. Aus dieser Cumulation der Aemter folgt allerdings, daß der betreffende Lehrer das Gehalt der Cantorstelle nur erhält, wenn er nach seiner Confession und anderen Eigenschaften das Cantoramt verwalten kann. Wenn nicht, so wird ein anderer Lehrer die Cantorstelle übernehmen, oder die Kirchengemeinde sich einen anderen Cantor suchen müssen. Wie aber dieser eine Cantor ein ganzes Gymnasium „evangelisch" oder „katholisch" machen soll, ist wirklich nur aus transcendentalen Gründen zu begreifen. — Ebenso verhält es sich mit dem angeblich kirchlichen Verband und der sogenannten Einpfarrung der Schulen. Aeltere und neuere Schulreglements enthalten die löbliche Vorschrift, daß Lehrer und Schüler nicht blos Andachten in der Schule halten, sondern auch fleißig die Kirche besuchen sollen. Ebenso angemessen ist die Sitte, Lehrer und Schüler womöglich in ein und derselben Kirche zu versammeln. Sehr oft stellt die Schule den Singechor der Kirche und bezieht dafür Gebühren. Auch kann die Lage der Schulgebäude und der Lehrerwohnungen die Zugehörigkeit zu einem Parochialverband begründen: — Alles dies natürlich vorausgesetzt, daß Lehrer und Schüler zu dieser Confession gehören; denn Lehrer und Schüler einer andern Confession werden in ihre Kirche gehen. Wie aus diesem Versammlungsort der Lehrer und Schüler gefolgert werden soll, daß die juristische Person, die „Anstalt", evangelisch oder katholisch sei, ist

---

S. 372· (a. 1817); nach geschichtl. Entwickelung u. Besetzung der Rector-stelle evang. S. 385 (a. 1815); zu den evang. Anstalten gerechnet, 393 (a. 1810); nach Entstehung. Entwickelung, Verwaltung kathol. 398 (a. 1628. 1773. 1826); nach Dotation, Zusammensetzung des Lehrerkollegiums u. Schülerfrequenz kathol. 404 (a. 1814); nach Stiftung, Zweck, Verwaltung kathol. 410 (a. 1770. 1818) u. s. w. — Daneben erscheint die Bezeichnung schlechthin evangelisch, Wiese S. 69, 103, 104, 106, 107, 108, 110, 111, 118, 120, 126, 133, 142, 154, 156, 201, 214, 218, 329; — schlechthin katholisch, Wiese S. 299, 397. — In der Provinz Brandenburg werden alle 42 höheren Lehranstalten in folle für „evan-gelisch" erklärt S. 86; ebenso in Pommern S. 138.

rechtlich nicht zu begreifen. Sogar die Kirchensitze und Kirchen=
ftühle haben hier eine transcendentale Bedeutung erhalten, während
doch z. B. felbst das Stadtgericht in den deutschen Städten einen
Kirchenftuhl zu haben pflegte, ohne damit zu einem confeffionellen
Stadtgericht zu werden.

Die ganze Kategorie von Confeffionsfchulen nach kirchlichem
Zufammenhang*) ift daher rechtlich unhaltbar.

4) Der angeblich ftatuten= oder ftiftungsmäßige Cha=
rakter der neueren Schulen ift eine weitere Neubildung der
gewagteften Art. — Da nach Publikation des Allg. Landrecht neue
Schulen aus Staatsmitteln oder Communalmitteln nicht anders ge=
bildet werden konnten als in Uebereinftimmung mit den gefetzlichen
Merkmalen der öffentlichen Schule: so glaubte die Unterrichtsver=
waltung ihre Abweichungen davon in Form von „Statuten" oder
„Stiftungen" gültig und bindend machen zu können. Man fchlug
der Form nach etwas verfchiedene Wege ein bei den Staats= und bei
den Communalanftalten.

Bei den vom Staat neubegründeten hielt man es für
zuläffig, durch Minifterialrefcripte, Erlaffe des Provinzial=Schulkolle=
giums und nöthigenfalls durch königliche Ordres „ftatutarifche" An=
ordnungen zu treffen, welche gewiffe confeffionelle Merkmale einer
Schulanftalt ausdrücken. Kein Gefetz legt dem Unterrichts = Minifter
oder den Provinzial=Schulbehörden die Ermächtigung bei, „Statuten"
mit Gefetzeskraft für Schulen zu errichten, noch weniger durch Statu=
ten die Landesgefetze abzuändern. Es wäre das auch widerfprechend
und unmöglich. Denn die Landesgefetze enthalten die Normativ=
beftimmungen, nach welchen allein Staatsmittel zur Errichtung von
Schulanftalten verwendet werden können; fie normiren die Rechtsver=
hältniffe der Lehrer, der Schüler, der Familienväter, der kirchlichen
und der politifchen Gemeinde in einer Weife, welche fich durch bloße
Acte der Verwaltung nicht ändern läßt. Die Unterrichtsminifter
fcheinen dies auch gefühlt zu haben, indem fie für bedenklichere Fälle
Allerhöchfte Kabinets=Ordres extrahirten**). Da die gewöhnliche Vor=
ftellung bei einer Kabinets=Ordre an einen legislatorifchen Act denkt,

---

*) Nach altem kirchlichen Zufammenhang evangelifch Wiefe S. 57, 62, 64, 77,
114, 124, 127, 134, 135, 136, 141, 143, 150, 157, 169, 171, 174, 182, 195, 200,
230, 234, 238, 241, 244, 263, 266, 267, 274, 277, 284, 312, 314, 326, 362, 368,
391, 408. — Nach kirchlichem Zufammenhang katholifch Wiefe S. 378 (a. 971),
301 (a. 1520), 401 (a. 1561), 302 (a. 1658), 346 (a. 1690), 387 (a. 1815), 304
(a. 1820).

**) Beifpiele bei Wiefe S. 123, 189, 207, 211, 212, 219, 286 2c. 2c.

so entstand damit allerdings ein Schein der Legalität. Allein (im
Unterschied von den durch die Gesetzsammlung publicirten königlichen
Erlassen) bilden diese bei den Acten befindlichen Ordres nur bindende
Normen im Innern der Verwaltung. Der Minister hat also die für
die Anstellung der Lehrer gegebenen königlichen Anweisungen zu be-
folgen, und bedarf zu deren Abänderung der königlichen Genehmigung.
Die Landesgesetze selbst aber, die königliche Prärogative der Amtsan-
stellungen, die Staatsdiener- und Schulgesetze können nur durch publi-
cirte Gesetzerlasse geändert werden. Nach außen hin ist also der
Minister für die Gesetzmäßigkeit der von ihm extrahirten Erlasse verantwortlich, soweit ein Widerspruch mit den Gesetzen entsteht. Sollten
dadurch Schulen zum Vorschein kommen, welche den gesetzlichen Merkmalen widersprechen, so würden solche die Rechte öffentlicher Schulen
nach dem A. L.-R. II, 12 nicht beanspruchen können. Confessionsschulen
können durch keine ministerielle Actencorrespondenz entstehn.

Bei neuerrichteten städtischen Schulen schlug man das
Verfahren ein, die Stadtbehörden zur Feststellung gewisser dauernder
Verwaltungsnormen zu nöthigen, und diesen den Namen „Statut"
beizulegen, obgleich kein Gesetz eine Ermächtigung dazu enthält. Das
sogenannte Oberaufsichtsrecht des Staats enthält allerdings die Befugniß, die Communen zur Befolgung der gesetzlichen Normen zu
zwingen, nicht aber die Gesetze im Wege der Oberaufsicht abzuändern.
Unter Ueberschreitung dieser Schranken begann nun aber die Unterrichtsverwaltung ein neues Verfahren zu einem förmlichen System
auszubilden, welches dahin angegeben wird:

„Es muß von den Communalbehörden eine angemessene Dotation der Schule gewährleistet 2c. und ein Statut vorgelegt werden, worin die Anstalt als selbständige juristische Person qualificirt
und auch ihr confessioneller Charakter bestimmt ist."
(Wiese's Verordnungen I S. 18.)

In diesen „Statuten" wird dann gewöhnlich bestimmt, daß sämmtliche Lehrer und sämmtliche Mitglieder des Curatoriums entweder der evangelischen oder der katholischen Confession angehören
sollen. Ja, es werden unter Umständen besondere Verpflichtungen
auf die Bekenntnißschriften zur Bedingung gemacht, wie in dem Statut für Colberg:

„Bei der Wahl des Directors und der Lehrer der Anstalt sind
nur solche Personen zu berücksichtigen, welche ihre wissenschaftliche und
pädagogische Tüchtigkeit nach den bestehenden Gesetzen dargethan haben,
hinsichtlich ihrer christlich evangelischen Gesinnung Vertrauen

einflößen und bereit sind, sich vor ihrer Anstellung schrift=
lich zu verpflichten, nichts zu lehren, was dem Worte Gottes
zuwider ist, wie solches in den Bekenntnißschriften der hie=
sigen evangelischen Kirchengemeinde, insonderheit dem lu=
therischen Katechismus, ausgelegt und bezeugt ist." (Statuten
des Gymnasiums u. der Realschule zu Colberg 1857.)
Solche Reverse auf gewisse Bekenntnisse kommen auch in anderen Sta=
tuten vor; in dem Statut für Gütersloh sogar die Clausel:
„Sämmtliche Lehrer und Beamte, sowie sämmtliche Schüler
(A. L.=R. II 12. § 10!) müssen evangelischer Confession sein."
Durch einen Zusatz zu § 11. des Statuts wurden später wenigstens
Schüler solcher katholischer oder jüdischer Eltern, welche in Gütersloh
wohnen, nach speciellem Beschluß des Curatoriums zugelassen. Ein
Ministerial=Rescript hat diesen Zusatz genehmigt, und damit selbst an=
erkannt, daß diese sogenannten Statuten auf dem einfachen Boden
des ministeriellen Regulativrechts stehen. Sie sind in der That reine
Verwaltungserlasse unter dem Namen von Statuten.*) Bezeichnend für
die dabei befolgten Tendenzen sind auch Clauseln nachfolgender Fassung:
„Vorstehendes Statut wird hierdurch mit dem Vorbehalt bestätigt,
daß der Oberaufsichtsbehörde das ihr gesetzlich zustehende
Recht gewahrt bleibt, solche Modificationen des Statuts anzuordnen,
welche sie zur Erreichung des Zweckes der Anstalt unbeschadet
des stiftungsmäßigen confessionellen Charakters der=
selben, für nothwendig erachtet. K. Prov.=Schulkollegium." (St. des
Progymnasiums zu Moers.)

---

*) „Die Rechtsverhältnisse sind durch ein von Staatswegen genehmigtes
Statut geregelt, — also: Confession stiftungsmäßig evangelisch, — sagt
Wiese a. a. O. S. 665. 313. Die Tendenz dieser Stiftungen wird S. 293 dahin
angegeben:
„Unter dem Eindruck der stürmischen Bewegungen des Jahres 1848, welche
Staat und Kirche von einander zu reißen, und damit die öffentlichen Schulen, sofern
sie unter der obersten Leitung des Staates stehen, religionslos zu machen drohten,
wurde in verschiedenen Gegenden, z. B. in der Rheinprovinz, in Westfalen, in
Pommern, in der Provinz Preußen, der Plan gefaßt, vom Staat unabhängige,
neue Gymnasien von bestimmt ausgesprochenem und gesichertem evangelisch=christlichen
Charakter zu gründen. Zur Ausführung ist dieser Plan nur in der Provinz West=
phalen gekommen." — „Die Verfügung, zu welcher sich das K. Prov.=Schulcollegium
der Provinz Westphalen durch die Absicht der evang. Gesellschaft zu Elberfeld, in
Gütersloh ein „christliches Gymnasium" zu gründen, veranlaßt sah, ist abgedruckt
in der Gymnasialzeitschrift 1850 p. 424 f. — Vgl. Wiese, über die Stiftung neuer
christlicher Gymnasien (Zeitschr. f. christl. Wissenschaft u. christl. Leben 1851 p. 146 ff.);
Landfermann, Rede auf dem Elberf. Kirchentage (Gymn. Zeitschrift 1852 p. 316 ff.)."

Beziehen sich dergleichen reglementarische Anordnungen auf eine aus vorlandrechtlicher Zeit herrührende Schule, so erhält dieselbe das Prädicat „nach alter und neuer Stiftung" evangelisch oder katholisch. Da nun aber die Unklarheit der herrschenden Vorstellungen mit dem Worte „Statut" oder „Stiftung" die Idee von etwas gesetzlich oder autonomisch dauernd Geltendem verbindet: so kam die Verwaltung in die günstigere Lage, allen Reclamationen gegenüber sich auf den „stiftungsmäßigen" Charakter ihrer Schulen zu berufen. In dem Gesetzentwurf von 1862 sollte dies Verfahren in der That legalisirt werden. Es heißt in dieser Beziehung in den Motiven:

„Zu § 126. Von den vorhandenen Schulen hat bei weitem die Mehrzahl einen bestimmten konfessionellen Charakter, der entweder mit der „Stiftung" zugleich ausdrücklich durch „Statuten" festgesetzt ist, oder, nach Beschaffenheit der Stiftung, als selbstverständlich angenommen werden muß" (vgl. Aktenstücke S. 164).

Der lebhafte Wunsch, derartige Bestimmungen gesetzlich autorisirt zu sehen, hat die Unterrichtsverwaltung zu dem Irrthum verleitet, als ob dies Gesetz bereits erlassen wäre. Die ganze Masse der neu-stiftungsmäßigen Confessionsschulen steht vielmehr auf einem gesetzlich unhaltbaren Boden*).

5) Ebenso unecht ist der Begriff der Simultanschule. Paritätisch ist jede preußische Schule, wenn darunter der Grundsatz verstanden wird, daß beide Confessionen einen gleichmäßigen Anspruch auf den Religionsunterricht ihrer Kirche haben. Der Grund, aus welchem sich die Schule in der Regel auf einen einseitigen Re-

---

*) „Stiftungsmäßig" evangelisch Wiese S. 55 (a. 1832), 61 (a. 1845), 78 (a. 1827. 1859), 113 (a. 1829), 116 (a. 1853), 124 (a. 1539. 1813), 141 (a. 1543. 1805), 143 (a. 1720. 1847), 144 (a. 1590. 1859), 146 (a. 1536. 1812), 148 (a. 1170. 1856), 150 (a. 1697. 1821), 151 (a. 1548. 1857), 154 (a. 1833. 1856), 158 (a. 1836), 190 (a. 1861 als evangelische Anstalt gegründet), 192 (a. 1754. 1805), 207 (a. 1819), 213 (a. 1834), 215 (a. 1853), 219 (a. 1842), statutenmäßig evang. S. 235 (a. 1862), 244 (a. 1863), nach alter und neuer Stiftung ev. S. 303 (a. 1588. 1850), stiftungsmäßig ev. S. 313 (a. 1854), 322 (a. 1857), 332 (a. 1836), 359 (a. 1823), 360 (a. 1783. 1854), 376 (a. 1819), 377 (a. 1851), 379 (a. 1842), 391 (a. 1572. 1818), 399 (a. 1829), 408 (a. 1604. 1821). — Nach Stiftung und nach Receß von 1858 evangelisch S. 198. — Stiftungsmäßig reformirt W. S. 122 (a. 1694. 1813) — Stiftungsmäßig katholisch Wiese S. 71 (a. 1847), 79 (a. 1832. 1837), 204 (a. 1816), 212 (a. 1573. 1780. 1802. 1834), 286 (a. 1840), 301 (a. 1862), 302 (a. 1861), 304 (a. 1820), 306 (a. 1627. 1828), 308 (a. 1730. 1827), 321 (a. 1821. 1858), 342 (a. 1820), 342 (a. 1860), 347 (a. 1841), 349 (a. 1673. 1855), 370 (a. 1624. 1832), 375 (a. 1664. 1856), 382 (a. 1806. 1852), 384 (a. 1580. 1814), 386 (a. 1573. 1858), 387 (a. 1815), 395 (a. 1806. 1816).

ligionsunterricht beschränkt, lag bisher immer nur darin, weil nach den
Schichtungen der Bevölkerung die Kinder der anderen Confession in
einer solchen Minorität vorhanden waren, daß die Bildung einer besonderen Schulklasse für sie unausführbar erschien. Da überhaupt die
Schulgemeinden sich gegen Anstellung neuer Lehrer und Bildung neuer
Klassen zu sträuben pflegen, da die herrschende Confession nicht immer
entgegenkommend gegen den andern Religionstheil ist, so ist die Nach-
holung der Parallelklassen für den Religionsunterricht oft unterblieben,
auch wo sie ausführbar geworden. Die rechtliche Regel erscheint deshalb
immer noch als faktische Ausnahme. In allen Provinzen indessen
wird, sobald die Minorität der anderen Confession einige Bedeutung
gewinnt, der zweiseitige Religionsunterricht wirklich ertheilt, und das
normale Verfahren ist auch in neuester Zeit von großen Stadtcom-
munen freiwillig oder auf Nöthigung der Staatsbehörden eingeführt
worden.

Bei diesem einfachen gesetzmäßigen Verhältniß eines zweiseitigen
Religionsunterrichts bleibt aber die Verwaltung nicht stehen. Sie
behauptet vielmehr, es bestände nach preußischer Gesetzgebung eine
„Simultanschule," in welcher der Schulvorsteher alternirend evangelisch oder katholisch und die Lehrer nach gleichen Zahlen evangelisch
und katholisch sein müßten. Wahrscheinlich hat die theologische Bildung
unseren Schulmännern Vorstellungen der Art aus dem vorlandrechtlichen Kirchenrecht zugeführt. Selbst für kirchliche Verhältnisse ist aber
dies arithmetische Theilungssystem dem allgemeinen Landrecht II, 11,
§ 311—317 fremd. Für Schulverhältnisse ist es eine reine Erfindung,
und noch dazu eine sachwidrige Erfindung; denn die pedantische Ab-
zählung der Lehrer nach ihrer Confession hindert die Verwaltung, den
tüchtigsten Lehrer anzustellen, welcher gerade zu haben ist, blos deshalb, weil diese Confession jetzt nicht an der Reihe ist. Jene Idee hatte
indessen in dem höheren Verwaltungspersonal schon in dem Maße Wur-
zel gefaßt, daß bei einem Streit mit den Provinzialständen der Provinz Preußen der Landtagsabschied vom 28. Oktober 1838 die Stände
in dem Sinne belehrte, daß „bei Simultanschulen der Lehrer abwech-
selnd evangelisch oder katholisch, die Mehrheit von Lehrern von den
verschiedenen Confessionen sein müsse". Die Unterrichts-Verwaltung
behandelt nun aber diesen Erlaß für die Provinz, der weder in den
Schulgesetzen noch in den Staatsdienergesetzen irgend einen Anhalt hat,
als etwas allgemein Geltendes. Man unterscheidet dabei wieder die
Simultanschule im strengen Sinne, bei welcher die Lehrer arithme-
tisch gleich getheilt werden müssen, und die Simultanschule im wei-

teren Sinne, in der das arithmetische Verhältniß nicht streng ein=
gehalten wird. Das so gemachte Verhältniß wird dann auch durch
Statuten eingeführt: das strenge Simultanverhältniß bei den
Gymnasien, das weitere Simultanverhältniß bei den Realschulen.
Gesetzlich zu begründen ist das eine so wenig wie das andere: das
strenge Simultansystem findet nicht einmal in dem Wortlaut des Land=
tagsabschieds einen Anhalt*). Als „Simultanschulen" schlechthin werden aufgezählt: die Realschule zu Neiße (a 1832, „hat von Anfang
an als Simultananstalt gegolten" Wiese S. 204), die Realschule zu
Posen, das Progymnasium zu Schrimm, das Progymnasium zu
Schneidemühl, die höhere Knabenschule zu Gnesen, das Gymnasium zu Inowraclaw, Gymnasium und Realschule zu Erfurt,
Progymnasium zu Mühlheim, Gymnasium und Realschule zu Essen
(S. 366). In Anknüpfung an das Beispiel von Essen wird dann behauptet, daß es noch eine zweite Klasse von Simultanschulen gäbe,
bei denen die strenge Ordnung in den Proportionen der Lehrer nicht
durchgeführt werde.

Diese „Simultanschulen" zweiter Klasse sind für das

---

*) Der 6. Prov. Landtagsabsch. für die Prov. Preußen vom 28. Okt.
1838 sub II. 1. sagte: „Simultanschulen sind vielmehr nur solche, wo den verschiedenen Confessions-Verwandten rücksichtlich des zu erwählenden Lehrers ein gleiches
Recht zusteht, dergestalt, daß, wenn die Schule nur einen Lehrer hat, dieser abwech-
selnd evangelischer oder katholischer Confession sein muß, oder wenn mehrere Lehrer
an der Schule angestellt sind, diese von den verschiedenen Confessionen
sein müssen". — Die Verwaltungsgrundsätze darüber werden dahin angegeben:—
„Der Begriff einer in kirchlicher Beziehung paritätischen oder simultanen höheren Schule ist gesetzlich nicht firirt. Herkömmlich wird derselbe nach Analogie
der Bestimmung des 6. Landtagsabschiedes für die Prov. Preußen vom 28. Okt.
1838 im strengeren Sinne dahin festgesetzt, (und z. B. beim Gymnasium in
Essen durchgeführt), daß die Lehrer in gleichem numerischen Verhältniß beiden
christlichen Confessionen angehören, und in der Direktorstelle beide Confessionen
alterniren. Bei einer weniger strengen Anwendung dieser Norm wird ein
bestimmt abgegrenztes Verhältniß beider Confessionen nicht festgehalten, sondern das
Lehrercollegium nach dem jedesmaligen Bedarf an Lehrkräften für bestimmte Unter-
rrichtsfächer ohne vorwiegende Rücksicht auf die Confession des zu Wählenden ergänzt.
Dies findet namentlich bei den Realschulen statt, die überhaupt, verglichen mit
den Gymnasien, einen weniger bestimmt ausgeprägten confessioneller
Charakter haben. Viele Reallehranstalten sind, ohne daß es bestimmt ausge-
sprochen wäre, auch abgesehen von der gemischten Schülerfrequenz, thatsächlich
Simultanschulen, sofern sich, wenn sie auch nach der constanten Besetzung der
Direktorstelle, und nach der überwiegenden Zahl der Lehrer für evangelische oder
katholische gelten, in den Lehrercollegien auch außer den Religionslehrern beide
Confessionen vertreten finden. (Wiese's Verordnungen I, S. 20.)

neuere Verwaltungsrecht in der That charakteristisch. — Trotz der gan=
zen Kette von stiftungsmäßigen, dotationsmäßigen, herkommensmäßigen,
statutenmäßigen Confessionsschulen trug die Verwaltung Bedenken, in
einer Anzahl von Städten ihr neues System allzu scharf durchzuführen.
Um nun aber das angebliche Princip der „Confessionsschulen" zu ret=
ten, hat man aus diesem normalen, gesetzmäßigen Verhältniß unter
den wunderlichsten Variationen eine besondere Abart von „Simultan=
schulen" zweiter Klasse gebildet*). Unter den mannigfaltigsten Wen=

---

*) Wiese, Schulwesen S. 215: Rawicz, 1853, als evangelische Anstalt
gegründet, ohne katholische Lehrer auszuschließen. — S. 221: Bromberg, Gym=
nasium, 1817, evangelisch, ohne katholische Lehrer völlig auszuschließen. — S. 221:
Bromberg, Realschule, 1817, simultan; Director und die meisten Lehrer gegen=
wärtig evangelisch. — S. 343: Köln, Friedr. Wilh. Gymnasium, 1825, stiftungs=
mäßig evangelisch, factisch simultan. — S. 344: Köln, Realschule, 1828, statuten=
mäßig ist keine Confession bestimmt; factisch die Mehrzahl der Lehrer und Schüler
katholisch. — S. 380: Rheydt, Höhere Bürgerschule, 1827, 1850, statutenmäßig
soll die Wahl der Lehrer an keine Confession gebunden sein, factisch vorherrschend
evangelisch. — S. 385: Neuwied, Höhere Bürgerschule, 1815, nach geschichtlicher
Entwickelung und Besetzung der Rectorstelle evangelisch, ohne katholische Lehrer
auszuschließen. — S. 393: Kreuznach, Gymnasium. 1810, zu den evangelischen
Anstalten gerechnet, ohne katholische Lehrer unbedingt auszuschließen: — S. 395:
Aachen, Realschule, 1835, nichts bestimmt; doch Director und Mehrzahl der Lehrer
katholisch. — S. 399: Eupen, H. Bürgerschule, 1794, 1814, 1859 nichts bestimmt;
nach der Zusammensetzung des Lehrerkollegiums überwiegend katholisch. — S. 404:
Trier, Realschule, 1846, obgleich Mehrzahl der Lehrer und Schüler katholisch,
doch confessionell paritätisch. — S. 405: St. Wendel, Proggymnasium, 1824:
thatsächlich simultan. — S. 406: Saarlouis, H. Bürgerschule, 1707, 1816, statu=
tarisch nichts bestimmt; factisch vorwiegend katholisch. — S. 410: Hechingen,
H. Bürgerschule, 1845: nichts bestimmt, factisch katholisch. — Die umgekehrte Wen=
dung erscheint S. 218: Fraustadt, Realschule, 1807, ursprünglich simultan, seit
1825 evangelisch. — S. 80: Kulm, H. Bürgerschule, stiftungsmäßig und bis 1818
katholisch. Da aber die Verwaltung den Gesetzen entsprechend auch evangelische
Lehrer angestellt hatte, so befanden sich ein Menschenalter später an der Anstalt ein
katholischer Rektor und ebenso viel katholische wie evangelische Lehrer. Dieser „Be=
sitzstand" ist dann durch K. Kabinetsordres vom 1. April 1859 und 22. Dez. 1860
fixirt worden! In der Provinz Posen umgekehrt ließ sich der Unterrichtsminister
durch eine besonders extrahirte Kabinetsordre vom 18. April 1846 ermächtigen, ge=
setzmäßig zu verfahren:
„Der bisherige confessionelle Charakter der (kath.) Gymnasien zu Ostrowo, Trze=
meszno und des Mariengymnasiums zu Posen bleibt nach wie vor bestehen. Dies
darf jedoch nicht hindern, daß für einzele Disciplinen, wie es bereits
jetzt der Fall ist, auch Lehrer anderer Confession dabei angestellt werden.
Dasselbe bestimme Ich hierdurch auch für die evang. Gymnasien der Provinz".
Das bloße Vorhandensein eines Verwaltungsgerichtshofes hätte solche unaus=
sprechliche Verwirrung schon im ersten Entstehen verhindert.

dungen kommt die Wahrheit zum Vorschein, daß die Verwaltung an einer nicht unerheblichen Zahl von Schulen die Lehrer doch noch immer nach den Bedürfnissen der Schule anstellt, ohne sich an eine bestimmte Confession zu binden. Da sie sich aber inzwischen den Grundsatz gebildet hatte, daß alle Lehrer „gleicher" Confession sein müßten, so stellt sie selbst ihre gesetzmäßige Praxis als eine Anomalie dar, als eine besondere Abart von Schulen, bei welcher ausnahmsweise nicht gesetzlich verfahren würde.

In anscheinendem Zusammenhang mit diesen Simultanschulen zweiter Klasse steht die neuerdings anerkannte Anstellungsfähigkeit jüdischer Lehrer. Bisher war eine solche, des Art. 4. 12. der Verfassungs-Urkunde ungeachtet, von der Unterrichtsverwaltung als unstatthaft festgehalten (Wiese's Verordnungen II. S. 111). Bei der letztjährigen Budgetberathung indessen hat sich der Unterrichtsminister zur Ueberraschung des Hauses für die Anstellungsfähigkeit erklärt*), und zwei jüdische Lehrer wirklich angestellt. Augenscheinlich soll sich aber dies Zugeständniß keinesweges auf die stiftungsmäßigen, dotationsmäßigen statutenmäßigen, observanzmäßigen, auch nicht auf die strengen Simultanschulen beziehen, und darunter begreift die Verwaltung die ganze Masse der „Stiftungen", welche sie selbst gemacht hat, indem sie ihre Regulativgewalten in Form von Statuten handhabt. Auf diesem Wege ist nunmehr eine enge Gruppe von Realschulen in Städten stark gemischter Bevölkerung offen gelassen, als Simultanschulen zweiter Klasse oder „factische" Simultanschulen. Auf diesen Inseln sind dann die beiden jüdischen Lehrer untergebracht worden, deren Anstellung in den Verhandlungen des Abgeordnetenhauses eine so hervorragende Stelle einnimmt. Nach dem ganzen Hergang des langjährigen Streits wird sich die Vermuthung rechtfertigen, daß das Anerkenntniß jetzt erfolgt, nachdem die Hauptmasse der höheren Schulen durch den „stiftungsmäßigen" Charakter in Sicherheit gebracht, und so das Judenthum in einigen größeren Städten localisirt und confinirt worden ist; womit freilich der Streit schwerlich aufhören wird.

Dies sind die Grundsätze des neueren Verwaltungsrechts in ihrem tiefverschlungenen inneren Zusammenhange.

---

*) „Bezieht sich das confessionslos darauf, daß evangelische und katholische Lehrer an solchen Anstalten fungiren können? Das ist etwas, was zulässig ist. Bezieht es sich darauf, daß auch ein jüdischer Lehrer an solcher Anstalt fungiren kann? Auch das ist vom Standpunkte evangelischer Toleranz für zulässig anzusehen".

Sie ergeben als Resultat eine Schule, in welcher nicht nur die Religion, sondern auch die Wissenschaft confessionell gelehrt, danach das Lehrpersonal confessionell angestellt, und danach auch das Aufsichts= recht gehandhabt werden soll.

Dem Allgemeinen Landrecht zum Trotz gleitet die Verwaltung in die Grundsätze der kirchlichen Schulen zurück, und übereignet die so ge= spaltenen öffentlichen Schulen wieder dem katholischen, dem lutherischen, dem reformirten, dem unirten Religionstheil. Da nun aber die kirchlichen Richtungen unter sich und mit Allem, was seit 100 Jahren in Preußen geschehen ist, um das Schulwesen zur Staatsinstitution zu machen, in Widerstreit stehen, so vermag das neue Verwaltungs= recht sich nur durch die Geschmeidigkeit seiner Maximen zu er= halten. Da die folgerichtige Durchführung nach außen hin zu hef= tigen Widersprüchen der Gemeinden, der Eltern, des Lehrpersonals führt, so muß sich die Verwaltung helfen, indem sie ihre selbst= gemachten Begriffe auch immer selbst interpretirt. Da es keine ge= setzliche Deklaration über „confessionelle" Schulen giebt, so läßt sich so viel und so wenig hineinlegen, wie nach Zeit und Ort ausführbar erscheint. Nach Lage der Verhältnisse und der Personen läßt sich die eine Consequenz ziehen, die andere nicht; es läßt sich die gezogene Con= sequenz auch wieder zurücknehmen, im andern Fall wieder aufnehmen.

Diese biegsame Verwaltungsweise durch ordre und contreordre könnte vielleicht das Lob der Humanität und allseitigen Rücksichtsnahme beanspruchen, — wenn sie nur nicht gerade in einem Lande bestände, in welchem die schneidenden Rechtsgrundsätze vom Schulzwang, von der Parität und von der gemeinen Schullast in die äußeren Rechts= verhältnisse eines jeden Unterthanen, in Vermögens=, Familien= und Gemeindeverhältnisse eingreifen, und an sehr ernsten Punkten in das Gewissen der Menschen. Schon diese Erwägung wird das Urtheil rechtfertigen:

Es bedarf eines Verwaltungsgerichtshofes, um end= lich einmal rechtlich festzustellen, ob es in Preußen con= fessionelle Schulen, ob es in Preußen stiftungsmäßige, dotationsmäßige, verwaltungsherkömmliche, statuta= rische, simultane Confessionsschulen erster und zweiter Klasse wirklich giebt oder nicht giebt.

V.

Der Breslauer Schulstreit vor einem Verwaltungs= gerichtshof.

Welche Bedeutung soll das in der Verfassung verheißene Unter=
richtsgesetz haben, wenn für die Auslegung und Anwendung solcher
Gesetze in dem ganzen Organismus des Staats kein Organ der Rechts=
kontrolle mehr zu finden ist, — keine Garantie einer sicheren, unpar=
teiischen, stetigen Gesetzesauslegung außer dem wechselnden Chef des
Unterrichtswesens selbst? Wenn die unzweideutigen Grundsätze
des preußischen Landrechts unter den Händen der Verwaltung im
Laufe eines Menschenalters die vorher gezeichnete Gestalt annehmen
konnten: was soll aus dem neuen Unterrichtsgesetz werden unter den
nachfolgenden constitutionellen Ministern, unter dem Streit der Par=
teien, unter den dann in Wirksamkeit tretenden vieldeutigen Artikeln
unserer Verfassungs=Urkunde?

Das hier gegebene Bild der Umgestaltung unseres öffentlichen
Rechts durch eine Kette von verschobenen und selbstgeschaffenen Rechts=
begriffen entspricht leider dem Gesammtzustand unserer Staats=Ver=
waltung. Wir haben im Jahre 1808 die schwerfällige collegialische
Gestalt der obersten Staatsbehörden aufgegeben, ohne darauf Bedacht
zu nehmen, daß neben der büreaukratischen Ordnung der Minister=
Departements, dann wenigstens eine ständige collegialische Behörde
vorhanden sein muß, um die streitigen Fragen des Verwaltungs=
rechts zu entscheiden, um den bestehenden Gesetzen des öffentlichen
Rechts eine stetige und unparteiische Interpretation zu sichern. Die
englische Verfassung legt diese Rechtscontrollen theils in die Reichs=
gerichte, theils in die Justiz=Abtheilung des Staatsraths, theils in die
von der Minister=Verwaltung gänzlich unabhängigen Behörden des
selfgovernment. Die französischen Verfassungen legen die Rechts=
controllen in einen collegialischen Staatsrath mit Entscheidungsrecht
über das Contentieux der Verwaltung. In Preußen dagegen hat eine
verkehrte Vorstellung von constitutioneller Regierung und „Minister=
Verantwortlichkeit" bisher sich gerade gegen die erste und absolute For=
derung des Rechtsstaats gesträubt. Bei der Reorganisation unserer
Gerichtsbehörden ist nur eine Regulirung des Justiz=Ministeriums
eingetreten, d. h. eine formelle Begrenzung der Competenz des Justiz=
Ministers auf diejenigen Funktionen, welche einem constitutionellen

Minister zukommen. Für die ganze innere Verwaltung ist die Regu=
lirung bis heute unterblieben, trotz aller Erfahrungen des sogenannten
Verfassungsconflikts. Die Macht der büreaukratischen Gewohnheit ist
noch so stark, daß das in jeder geordneten Monarchie übliche, normale
Verhältniß von den Beamten wie von der öffentlichen Meinung für
eine bedenkliche Neuerung angesehen, von der einen Seite verweigert,
von der andern Seite nicht einmal ernstlich gefordert wird.

Dies obige Bild unseres neuen Verwaltungsrechts im Unter=
richtswesen ist insofern lehrreich, als es die Schutzlosigkeit unseres
öffentlichen Rechts noch einmal in einer Weise vor Augen führt, welche
wohlgeeignet ist, einen nachhaltigen Eindruck auf die öffentliche Mei=
nung zu machen.

Mit ihren selbstgeschaffenen Begriffen von evangelischen
und katholischen Schulen, von Confessions= und Simultanschulen, von
stiftungsmäßigen, dotationsmäßigen, observanzmäßigen, statutenmäßigen
Confessionsschulen ist die Unterrichts=Verwaltung auf den obengezeich=
neten Wegen Jahr für Jahr fortgeschritten mit einer Sicherheit und
Consequenz, welche auch die amtliche Statistik beurkundet, die das
ganze Schulwesen in evangelische Schulen, katholische Schulen und
Simultanschulen eintheilt, während die preußische Landesgesetzgebung
dergleichen Schulen überhaupt nicht kennt.

Dies Netz von unechten Rechtsbegriffen und juristischen Fehl=
schlüssen befestigt sich von Jahr zu Jahr in den fachgemäß getheilten
Decernaten, in welchen jede Amtsstelle über die Gesetzmäßigkeit ihrer
Maßregeln selbst entscheidet. Fügen wir hinzu, daß dies Decernat
von praktischen Schulmännern geführt wird, welche die staatsrechtlichen
Verhältnisse im Zusammenhang zu prüfen und zu wahren weder den
Beruf noch die Neigung haben, daß die Schuldecernate und Schul=
inspectionen seit einem Menschenalter vorzugsweise mit eifrig=kirchlichen
Männern besetzt sind; daß das Bekenntniß zu dem Grundsatz der „Con=
fessionsschulen" beinahe eine Vorbedingung der Anstellung zum Schul=
decernenten oder Justitiarius geworden ist: so wird es verständlich
werden, wie im Laufe eines Menschenalters ohne jede Aenderung
der Gesetze ein den Gesetzen widersprechendes Verwal=
tungsrecht sich bilden konnte. Die letzte Beschwerde dagegen ging
seit 1808 eben an den Departements=Minister selbst, welcher die An=
ordnungen getroffen hat, und der nun über die Competenz und Ge=
setzmäßigkeit seiner Regulative, Rescripte und Bescheide endgültig ent=
scheidet. Es entsteht damit ein vitiöser Zirkel, in welchem sich ein
Bescheid auf den andern, ein Regulativ auf das andere, eine Amtsstelle

5

auf die andere, die niedere Behörde auf die Entscheidung der oberen, der Minister auf seine früheren Erlasse, der spätere Minister auf die Erlasse seiner Amtsvorgänger beruft, und schließlich das Landrecht als überwundener Standpunkt in Vergessenheit kommt. *)

Die darüber entstehenden Streitfragen bewegen sich in der Regel in dem Gebiet des Regulativrechts und der Anstellungen, welche die Staatsverwaltung als zur „Exekutive" gehörig auch gegen die Einmischung des Landtags abschließt. Eine Handhabe für das Petitionsrecht entsteht erst in dem Falle, wo im Wege des sogenannten Aufsichtsrechts die Communen genöthigt werden sollen, sich dem neuen Verwaltungsrecht zu conformiren.

Ein Streitfall dieser Art zwischen der Unterrichts-Verwaltung und den Communal-Behörden zu Breslau ist in der Landtagssession von 1868/69 durch Petition Gegenstand ausführlicher Contestationen geworden.

Durch das Anwachsen der Bevölkerung hat sich in Breslau das Bedürfniß einer Vermehrung der höheren Lehranstalten ergeben. Die Communal-Behörde beschloß daher 1863 eine „katholische" Mittelschule, ein Gymnasium und eine Realschule zu gründen. Ein Antrag katholischer Seits an den Magistrat dahin gehend, daß auch die Realschule zu einer „katholischen" bestimmt werden möchte, wurde vom Magistrate unterm 26. Mai 1865 ablehnend dahin beantwortet: „Wir wollen fortan überhaupt nur solche höhere Unterrichtsanstalten gründen,

---

*) Der Gedankengang eines provinziellen Schuldecernats wird etwa sichtbar aus folgenden Stellen der Schrift des Provinzial-Schulraths Scheibert: „Es ist richtig, daß kein Gesetz in Preußen die Confessionalität höherer Schulen gebietet, weil überhaupt bis jetzt kein Unterrichtsgesetz erlassen ist; aber darum ist sie auch nicht verboten. Wohl aber giebt es eine Reihe von königlichen Verordnungen, zum Theil mit Gesetzkraft erlassen, welche die confessionelle Sonderung der Gymnasien in der Provinz Schlesien zur bestimmten Voraussetzung haben" (hier folgen die Anordnungen über den katholischen Schulenfonds für die 6 schlesischen Gymnasien). „Demnach bleibt es dabei, daß es kein Gesetz giebt, welches den confessionellen Charakter der höh. Schulen gebietet oder verbietet". — Wahr ist es ja, daß die nominelle Scheidung der Anstalten nach ihrer Confession hauptsächlich erst seit den Verfassungskämpfen von 1848—49 nothwendig geworden ist; aber eben so entschieden legen es die Thatsachen wie die ganze culturgeschichtliche Entwickelung dar, daß die reelle Scheidung bestanden hat seit dem ersten Tage, an welchem eine Gemeinde zur Reformation übertrat". — „Demnach ist die Schlußfolgerung, welche dem Cultus-Minister ein grundloses Behaupten vorwirft, falsch. Der Erlaß vom 19. Nov. 1867 spricht ganz einfach: Es giebt nur confessionelle Schulen &c. Das ist Thatsache!" (Scheibert a. a. O. S. 5, 6, 8, 9.)

deren Lehrerstellen ohne Rücksicht auf die Confession der Candidaten zu besetzen sind." — Im Verlauf des Streits ist mehrmals ausdrück= lich deklarirt worden, daß sowohl der katholische wie der evange= lische Religions=Unterricht in den Schulplan aufgenommen werden soll, — mit Rücksicht auf die große Zahl der Schüler jüdischen Glau= bens in Breslau, auch dieser letztere.

Von katholischen Einwohnern wurde dagegen Beschwerde er= hoben, mit dem Verlangen, daß eine „katholische" Anstalt errichtet werden müsse, da bisher nur ein katholisches Gymnasium in Breslau vorhanden sei, welches ihrem stark gewachsenen Bedürfniß nicht genüge. Diese Beschwerde war wohl insofern begründet, als der ka= tholische Theil bei der bisherigen Gestaltung der Schulpläne nicht genügend berücksichtigt ist. Nach der alten Schichtung der Confessio= nen war die Stadt Breslau überwiegend evangelisch. Die älteren Lehranstalten waren daher in der Periode des kirchlichen Systems als lutherische und reformirte Anstalten gestiftet. Für die katholische Mi= norität war indessen durch Jesuiten=Stiftungen gesorgt, und Friedrich der Große hat diese Fürsorge fortgesetzt, indem er 1774—76 die Güter des aufgehobenen Jesuitenordens dem katholischen Religions= und Schulunterricht widmete. Unter den 6 dabei namentlich genann= ten Gymnasien war auch das Matthias=Gymnasium zu Breslau ge= nannt. Dies Gymnasium ist also nach dem Sprachgebrauch der heutigen Verwaltung ein „katholisches" Gymnasium; die übrigen An= stalten werden als „evangelische" oder simultane betrachtet, ohne recht= liche Prüfung, ob dies wahr ist.

Unter solchen Umständen ist das vorgefundene Verhältniß des Religionsunterrichts stillschweigend fortgesetzt worden. Während das Matthias=Gymnasium nur den einseitigen katholischen, haben die übri= gen Gymnasien den einseitig evangelischen Religionsunterricht beibehalten. Inzwischen ist die katholische Bevölkerung Breslau's in dem Maße angewachsen, daß die Katholiken mehr als ein Drittel der Be= völkerung bilden. Das Matthias=Gymnasium kann für sie nicht ausreichen, da sich bereits 1867 827 katholische Schüler auf den Gym= nasien, 232 katholische Schüler auf den Realschulen befanden. Nach den bestehenden Gesetzen ist demnach der Anspruch auf Errichtung von Parallelklassen für den katholischen Religionsunterricht ebenso berechtigt, wie ausführbar. In allen Provinzen der Monarchie ist bei einem analogen Verhältniß der Bevölkerung diesem gesetzmäßigen Verlangen genügt. Die Unterrichtsbehörden waren sogar verpflichtet, von Amts wegen darauf zu halten, nachdem ihnen das Sachverhältniß bekannt und unter lebhaften Contestationen zur Entscheidung vorgelegt war.

Dies gesetzmäßige Verlangen ist nun aber von keiner Seite gestellt; statt dessen treten vielmehr folgende Prozeduren ein.

Die Provinzialbehörden verbieten dem Magistrat die dringend nothwendige Errichtung neuer Schulanstalten nach den gesetzlichen Normen, und verlangen dafür das Ungesetzliche: es soll aus städtischen Mitteln ein ausschließlich katholisches Gymnasium mit ausschließlich katholischen Lehrern, ausschließlich katholischem Religionsunterricht, confessionellem Gesammtunterricht begründet werden. Wenn nicht, nicht! „Auch zur Gründung einer christlichen Simultananstalt, die wegen der sowohl für den Unterricht und die Erziehung als für die Religionsübung mit dem Simultaneum verbundenen unverkennbaren Uebelstände nur unter ganz besonderen Umständen und bei gleicher Vertretung beider Confessionen in der Einwohnerzahl einer solchen Stadt, welche nur eine höhere Lehranstalt unterhalten kann, als zulässig erscheint, ist in einer Stadt wie Breslau, welche nothwendig eine Anzahl höherer Schulen haben muß, eine Veranlassung nicht vorhanden“.

Bei dem wiederholten Lauf der Beschwerden stellt der Magistrat die direkte Frage, ob denn irgend ein Gesetz bestehe, nach welchem die Stadtbehörden gezwungen werden könnten, „confessionelle“ Schulen zu errichten? und erhält darauf den seltsamen Bescheid:

„daß die Entscheidung der ganzen vorliegenden Frage unseres Erachtens nicht in den Titeln und Paragraphen etwa des preußischen Landrechts, wohl aber in den von den Unterrichtsbehörden ausgesprochenen und befolgten Anordnungen und Bestimmungen zu suchen und zu finden ist, und daß nach diesen sämmtliche preußische Unterrichts- und Erziehungs-Anstalten sich in evangelische, katholische, oder christlich-simultane zertheilen.“

Der Minister des Unterrichts erledigt die Beschwerde in letzter Instanz durch folgendes Rescript vom 15. Nov. 1867:

„Aus der Eingabe vom 25. Mai d. J. geht hervor, daß der Magistrat mit den Grundsätzen unbekannt ist, welche in dieser Beziehung für die Unterrichts-Verwaltung maßgebend sind. Zur Verständigung darüber theile ich dem Magistrat daher Folgendes mit:“

„Die über den Bereich der Elementarschulen hinausgehenden Lehranstalten sind zwiefacher Art. Sie haben 1) neben der Bestimmung Kenntnisse und Fertigkeiten mitzutheilen, auch einen pädagogischen Zweck; oder 2) sie sind lediglich auf die Mittheilung von Kenntnissen und Fertigkeiten beschränkte Fachschulen."

„Zu der ersteren Art gehören die Gymnasien, die Real- und höheren Bürgerschulen; zu der zweiten die technischen Anstalten, Gewerbeschulen, polytechnische Schulen u. dgl. mehr."

„Den Schulen ersterer Art ist zur Erreichung ihres pädagogischen Zwecks der religiöse Charakter unentbehrlich. Die wichtigsten Erziehungsmittel sind von demselben abhängig und können nur wirksam werden, wenn die Lehrer einer solchen Anstalt den Schülern gegenüber im wesentlichen eine Einheit bilden."

„Demgemäß sind die Gymnasien, Real- und höheren Bürgerschulen in den altpreuß. Provinzen alle entweder evangelisch oder katholisch, oder in einzelnen Fällen simultan, wobei dann über dem Unterschied der beiden Confessionen die Einheit doch in dem christlichen Charakter der Schule vorhanden ist."

Der wiederholte Kreislauf der Beschwerden endet mit der üblichen Bescheidung, daß es bei dem Bescheide sein Bewenden behalte.

Daran knüpft sich dann in üblicher Weise der fortgesetzte Streit im Landtag; denn man hat bei der Entstehung unserer Verfassung vorausgesetzt, daß es einer Jurisdiction über das öffentliche Recht nicht bedürfe, daß vielmehr alle streitigen Fragen des Verfassungs- und Verwaltungsrechts durch eine contradictorische Erörterung zwischen den Kammern und dem „verantwortlichen" Minister endgültig erledigt werden, und daß darin der sogenannte Rechtsstaat bestehe.

In Verfolgung dieses Weges petitionirt die Communalbehörde bei dem Landtag mit folgender Erklärung:

„Dem steigenden Bedürfnisse durch Errichtung neuer Realschulen und Gymnasien für jede Confession besonders zu genügen, würde die Stadt schon aus finanziellen Gründen außer Stande sein. Wir wollen daher die neu zu gründenden höheren Lehranstalten den Söhnen unserer Mitbürger aller Bekenntnisse gleich zugänglich machen und dem Bedürfnisse entsprechend für den Religionsunterricht in allen Confessionen Sorge tragen. Diesem Sinne des oben formulirten Beschlusses entspricht es, wenn wir keinerlei Beschränkung für die Anstellung der Lehrer in Rücksicht auf ihre Confession von vornherein feststellen wollen."

Das Abgeordnetenhaus erörtert die Frage in der „verstärkten Unterrichtscommission" ausführlich mit einem Regierungscommis-

farius. Der umfaſſende Bericht (No. 280 der Druckſachen) ergiebt
aber, daß ſelbſt die Vereinigung ſo vieler Kräfte nicht genügt hat,
um zur Erörterung der ſtreitigen Frage des Verwaltungsrechts zu gelangen. Es iſt über vielerlei lokale, pädagogiſche und confeſſionelle
Verhältniſſe geſprochen. Der Behauptung des Regierungscommiſſars,
daß alle höheren Schulanſtalten in Preußen entweder evangeliſch oder
katholiſch oder ſimultan ſeien, „wurde ebenſowohl zugeſtimmt wie
widerſprochen," und nachdem die Verhandlung für „ſpruchreif" erklärt
war, wurden die geſtellten Anträge, die Petition zur Berückſichtigung
wie zur Tagesordnung mit Stimmengleichheit abgelehnt, und damit
nichts beſchloſſen.

Inzwiſchen war auch eine Petition von mehr als 2000 Katholiken Breslau's eingegangen. Anſtatt für ihre Beſchwerden
die geſetzmäßige Abhülfe durch beſondere Klaſſen für den katholiſchen
Religionsunterricht zu verlangen, haben dieſe Petenten die Impertinenz,
dieſe geſetzmäßige, in allen Provinzen beſtehende Einrichtung als eine
„Gründung von Anſtalten der bloßen Tendenz und des Proſelytismus
für jeweilig herrſchende liberale Grundſätze" zu bezeichnen — wogegen
ſie in ebenſo beſcheidener wie ſalbungsvoller Ausführung, die „volle,
tiefe, echt religiöſe Durchbringung" für allen Schulunterricht und
deſſen Erziehungszwecke aus Motiven fordern, welche conſequent zur
Wiederüberlaſſung des Unterrichts an die religiöſen Orden führen
würden. Dieſe Petition iſt in der That eine Streitſchrift gegen das
Geſammtſyſtem des preußiſchen Unterrichts.

Umſomehr war das Abgeordnetenhaus wohl aufgefordert,
in ſeiner dieſem Gegenſtand gewidmeten Plenarſitzung v. 27. Februar 1869 endlich auf die Frage nach der Geſetzmäßigkeit der
Confeſſionsſchulen einzugehen. Allein vermöge des öfter wiederkehren-
den Mißgeſchicks wurden ſtatt deſſen einige ſehr lange Reden gehalten
über die Lokalverhältniſſe von Breslau, über den Einfluß des religiöſen Elements auf die Erziehung, über Lokalſtatiſtik, communale
Selbſtändigkeit, confeſſionelle und pädagogiſche Standpunkte und Erfahrungen: bis die Debatte gegen 4 Uhr Mittags durch Schlußan-
träge der ermündeten Verſammlung zu Ende ging, und eine Ueber-
weiſung der Petition „zur Berückſichtigung" an die Regierung
beſchloſſen wurde. Da nach der Geſchäftsordnung des Abgeordneten-
hauſes niemals das Bedürfniß der Sache, ſondern immer nur der
Eifer der Redner und das Loos entſcheidet: ſo läßt ſich nicht ent-
ſcheiden, was von den präcludirten Rednern zur Sache geſagt ſein
würde. Jedenfalls war es ein Mißgeſchick, daß dieſe erwartungs-

voll angekündigte Verhandlung nichts gebracht hat, was der Unterrichtsverwaltung als „Leitstern" für ein gesetzmäßiges Verfahren
dienen könnte.

Das seltsame Resultat unserer Behandlung öffentlicher Angelegen-
heiten ist, daß mit Anspannung aller Kräfte und Streitmittel der
Interessenten wie der politischen und kirchlichen Parteien im Lande,
der wirkliche staatsrechtliche Streitpunkt nicht einmal zum Vorschein
kommt. Ob jene Ueberweisung der Petition an die Staatsregierung aus gesetzlichen oder aus Zweckmäßigkeitsgründen, ob sie
aus allgemeinen oder aus lokalen Gründen erfolgt ist, ob das Haus
die Bildung confessioneller Schulen für gesetzlich ungerechtfertigt,
oder nur für unzweckmäßig, oder ob es das Verfahren der Behörden nur
als einen Eingriff in die „communale Selbständigkeit" ansieht, ist aus dieser
Art von Majoritätsbeschlüssen nicht ersichtlich. Die Streitfragen unseres Verfassungs- und Verwaltungsrechts bleiben nach solchen Kammer-
verhandlungen ebenso unentschieden, wie sie vorher unentschieden
waren. Sie gehen dann aus der Kammerverhandlung in die Presse,
aus der Presse in den Streit der öffentlichen Meinung über. Die
Frage, ob „confessionelle" oder „confessionslose" Schule, wird ein
interessantes Streitwort für die politischen Parteistellungen, und in
dieser Art der Streitführung über staatsrechtliche Grundfragen glaubt
man wohl die hohe politische Bildungsstufe zu erkennen, auf welcher
sich das Vaterland zur Zeit befinde.

Die nach der preußischen Landesgesetzgebung bestehende
Schule, in welcher die Religion confessionell gelehrt
werden muß, die Wissenschaft nicht confessionell gelehrt
werden darf, kann man weder confessionell noch confessionslos nennen.

Indem die Staatsverwaltung aber diesem gesetzmäßigen Begriff
den unechten Begriff der confessionellen Schulen unterschiebt,
veranlaßt ihr Sprachgebrauch die Opposition von einer confessionslosen
Schule zu sprechen.

Die confessionslose Schule veranlaßt die kirchlichen Parteien,
die religionslose Schule zu bekämpfen.

Die Losungsworte confessionell oder confessionslos veranlassen die
öffentliche Meinung, den Streit in eine sociale Philosophie über Trennung von Kirche und Schule, Trennung von Staat und Schule,
Trennung von Kirche und Staat zu verflüchtigen.

In einem wirren Streit, in welchem die vorhandenen Gesetze

allen Theilen abhanden kommen, bleibt von einer faßbaren Maßregel der Gesetzgebung oder Verwaltung dann nichts mehr übrig.

Ist es denn unmöglich, in Preußen zu einer gesetz= mäßigen Verwaltung zu kommen?

Die Gesetzgebung von 1808 hat uns eine wohlgeordnete Ver= waltung und gute Gesetze gebracht; das Jahr 1850 hat uns eine ent= wickelungsfähige Verfassung gegeben; der Gesammtzustand der deut= schen Bildung enthält alle Vorbedingungen auch der politischen Ein= sicht; der deutsche Charakter hat den Sinn für Recht in höherem Maße entwickelt als andere Nationen: ist es denn unmöglich, mit allen diesen Vorbedingungen zu einer gesetzmäßigen Verwaltung in Preußen zu gelangen?

Der Verlauf des Breslauer Schulstreits und der Schulfrage in der Session von 1868/69, in Verbindung mit so manchen bitteren Er= fahrungen einer zwanzigjährigen constitutionellen Praxis, wird hoffent= lich die Einsicht zum Durchbruch bringen, daß alle Verfassungen ein klingendes Erz und eine tönende Schelle bleiben ohne eine gesetzmäßige Verwaltung, — daß die Frage, ob die Verwaltung gesetzmäßig ver= fährt, nicht nach individuellen Meinungen, nicht durch Fractionen, Par= teien, Kammercommissionen, festzustellen ist, auch nicht durch Majori= täten in beiden Häusern des Landtags, welche ohnehin selten überein= stimmen würden, — daß die bei uns stets angerufenen fremden Verfassungen von England, Belgien, Frankreich rc. auf wohlgeordne= ten Institutionen zur Entscheidung der Streitfragen des öffentlichen Rechts beruhen, — daß so lange wir eine verfassungsmäßige Regie= rung nur darin suchen, daß das öffentliche Recht nach unserer Inter= pretation durch „verantwortliche" Minister gehandhabt werde, alle Parteibildung flugsandartig und unstät, der „Rechtsstaat" ein hohles Wort bleibt, wie er es bisher gewesen. Nicht das Reden über Ge= setz und Gesetzlichkeit, sondern der entschiedene Wille, auch seine eige= nen Wünsche und Meinungen den aus dem Bedürfniß der Gesammt= heit hervorgegangenen Gesetzen unterzuordnen, ist die Vorbedingung des Rechtsstaats und lebensfähiger Parteibildungen.

Wo der Wille zu einer gesetzlichen Regierung vorhanden, da ist auch das Vertrauen zu einer Rechtsprechung über das öffentliche Recht vorhanden. Mit dem ernsten Willen findet sich auch die Ein= sicht, daß es zu der Rechtsprechung

1) sachverständiger Personen bedarf, weil eine zusammen= hängende praktische Kenntniß des öffentlichen Rechts dazu gehört;

2) einer ständigen collegialischen Gestalt, — im Gegensatz wech=
selnder parteimäßig zusammengesetzter Commissionen;

3) einer öffentlichen contradictorischen Verhandlung, — im
Gegensatz des regellosen Streits in Parlamentsverhandlungen und Presse.
Kurz: Preußen bedarf eines Verwaltungsgerichtshofs.

Mit dem ernsten Willen dazu findet sich auch jenes Vertrauen,
welches nicht verlangt, daß die entscheidende Stelle aus Vertrauens=
männern der eigenen Partei bestehe, sondern daß sie vom König er=
nannt werde, — ein Vertrauen darauf, daß sieben, neun oder elf
Männer, welche einen Richtereid geleistet haben, nach den Gesetzen des
Landes und nur nach den Gesetzen des Landes zu entscheiden, — daß
ein Collegium, welches die streitigen Maßregeln der Verwaltung nach
ihrer rechtlichen Begründung und ihren rechtlichen Consequenzen zu
prüfen, deren Uebereinstimmung mit den Gesetzen nachzuweisen, die
Uebereinstimmung ihrer Entscheidung mit früheren Entscheidungen auf=
recht zu erhalten hat, — daß ein solcher Gerichtshof das ganze System
der Confessionsschulen mit allen seinen Consequenzen nicht aufrecht
erhalten kann und wird.

Die Consequenz dieses Entschlusses wird dahin führen, daß das
Abgeordnetenhaus nicht noch einmal Fragen dieser Art durch eine „ver=
stärkte Unterrichtscommission" verhandeln, sondern daß der Streit über
confessionelle oder confessionslose Schulen in nächster Session
     mit einer Adresse an die Krone behufs Einsetzung eines
     Gerichtshofes, zur Entscheidung der streitigen Fragen
     des Verwaltungsrechts,
beginnen wird. Vielleicht wird auf andere Veranlassung eine Gesetz=
gebung dieser Richtung bereits im Gange sein, und es sich nur noch
darum handeln, den Gang derselben zu beschleunigen oder zu ergänzen.

Schon mit dem Dasein eines Verwaltungsgerichtshofes
wird das Bewußtsein zurückkehren, daß die Ministerverwaltung in
Preußen dieselbe Aufgabe hat wie in jedem anderen gesetzmäßig re=
gierten Staat: nothwendig gewordene Aenderungen der Gesetze auf
dem verfassungsmäßigen Wege der Gesetzgebung herbeizuführen, nicht
aber durch Gesetzesinterpretationen und Verwaltungsregulative gesetz=
mäßig bestehende Zustände in Kirche und Staat umzuwandeln. Die
Gesetzgebung wird damit in Preußen in ihr reales Geltungsgebiet ein=
treten, und es wird damit auch zum Vorschein kommen, was die ver=
schiedenen Parlaments=Parteien unter „Minister=Verantwortlichkeit"
meinen.

Die sogenannte politische Frage des Schulstreits geht damit in eine Rechtsfrage über. Das war sie von Anfang an, und nur der Verkennung dieser rechtlichen Natur ist ihr Mißgeschick zuzuschreiben. Wie jede staatsrechtliche Frage, hat sie freilich auch eine politische Seite, welche indessen kaum der Erörterung bedarf. Die Staatsregierung selbst wird sich das Bedenkliche einer Maßregel nicht verhehlen, welche eine altevangelische Stadt nöthigen will, aus ihren Steuern eine große katholische Lehranstalt zu gründen, welche von exclusivem Confessionsgeist getragen, den Zwiespalt der Confessionen im Lande Schlesien vom Mittelpunkt aus zu organisiren, zu hegen und gedeihlich fortzuentwickeln bestimmt sein soll. Nachdem die preußische Verwaltung ein Jahrhundert hindurch die Bevölkerung dieser Provinz, welche der confessionellen Eintracht mehr bedarf als jede andere, confessionell aneinander zu gewöhnen redlich bemüht gewesen, hat die neue Verwaltung Jahrzehnte hindurch Tendenzen gepflegt, welche, wenn sie ernst werden, nicht blos in das Unterrichtswesen des Preußischen Staats, sondern in seinen Gesammtorganismus den Zwiespalt hineintragen. Ihr Widerspruch mit den Landesgesetzen wird gerade an einem Punkte sichtbar, an welchem zugleich der Widerspruch mit dem Beruf und mit den Traditionen der preußischen Staatsverwaltung am grellsten hervortritt.

Gestehen wir uns bei diesen Hergängen allerseits die Wahrheit, daß in der glänzenden Entwickelung der modernen Gesellschaft der Sinn für Recht und Gesetzlichkeit der schwächste Punkt geblieben ist. Die Verflechtung des alten Rechts mit den Interessen der alten Gesellschaft nöthigt uns, von einer Seite so viel alte gesetzliche Grundsätze abzubrechen, von der anderen Seite unter dem Namen einer conservativen Partei so viel unhaltbar gewordene Positionen zu vertheidigen, daß in den Uebergangszuständen der Gesellschaft der Sinn für eine gesetzmäßige Regierung beiden Theilen abhanden kommt. Die Einsicht in diesen Mangel ist der Anfang der Besserung, zu welcher der deutsche Nationalcharakter die begründetste Hoffnung giebt.

VI.

Die Versuche einer gesetzmäßigen Begründung des System der Confessionsschulen.

Kehren wir zu dem Postulat eines Verwaltungs=Gerichtshofes zurück, so handelt es sich dabei nicht um eine neue Einrichtung, son= dern um die Herstellung des alten Verhältnisses, welches in Preußen bis 1808 bestanden hat, welches für die executiven Functionen der Staats=Regierung durch die Stein=Hardenbergische Gesetzgebung mit Recht, für das Gebiet der streitigen Fragen des Verwaltungsrechts aber mit Unrecht aufgegeben ist. Die Beseitigung aller Rechtscon= trollen der Verwaltung konnte in einer kurzen Periode durchgreifender Radikalreformen von 1808—1815 relativ angemessen und entschuldbar erscheinen: auf die Dauer ist sie in jedem europäischen Staatswesen unhaltbar. Sie rächt sich schon im absoluten Staat durch die Ent= wöhnung der Beamten wie des Volks vom Grundsatz des verfassungs= mäßigen Gehorsams. Sie führt zu einem Mißtrauen Aller gegen Alle, sobald das Parteiwesen im constitutionellen Staate seine offene Stellung nimmt. Sie trägt an dem mangelnden Sinn für Gesetz= lichkeit nächst den socialen Verhältnissen die Hauptschuld. Die herr= schenden Vorstellungen drehen sich dann eben im Zirkel. Sie möch= ten wohl eine Rechtsprechung über das öffentliche Recht: aber vorher erst die Gewißheit, daß solches nach ihrem Sinn und nach ihrer Mei= nung ausgelegt werde. Sie möchten wohl einen Verwaltungsgerichts= hof oder etwas Analoges: wenn sich ein Verwaltungsgerichtshof nur wählen ließe unter fractionsmäßiger Betheiligung von Vertrauens= männern. Sie möchten wohl den Rechtsstaat d. h. eine gesetzmäßige Regierung, wenn dies nur möglich wäre, ohne sich selbst zu binden.

Jene Emancipation der Verwaltung von jeder Rechtscontrolle bringt aber im constitutionellen Staat zuletzt das ganze öffentliche Recht unter den Einfluß von wechselnden Parteien. Jede Art der Beschwerde= führung ist dagegen vergeblich: auch die Immediatbeschwerde geht an en „verantwortlichen" Minister zurück, der die Entscheidung erlassen at. Die Beschwerdeführung bei den Kammern bringt die Rechts= ge unter die Gesichtspunkte der Fraktionen und politisch=kirchlichen rteien und setzt sie dann in der Presse fort. Es entsteht daraus ..e interessante Streitfrage für die öffentliche Meinung, im äußersten

Falle ein „Conflikt", eine „Indemnität" — aber niemals eine rechtliche Lösung in dem völlig hülflosen Zustand dieses öffentlichen Rechts.*)

Es gab nur eine Veranlassung, durch welche sich die Unterrichtsverwaltung bis jetzt genöthigt sah, auf die wirklich bestehende preußische Landesgesetzgebung über die Schulen im Zusammenhang zurückzukommen. Es war dies die Vorlegung eines Schulgesetzes. Man konnte den gesetzgebenden Körpern nicht zumuthen, sich über durchgreifende neue Gesetze schlüssig zu machen, ohne einen Nachweis, wie es sich mit den vorhandenen Gesetzen verhalte. Dieser Nachweis ist denn auch erfolgt in dem Gesetzentwurf über das öffentliche Schulwesen vom 11. Dezember 1867 (Motive S. 19) mit folgenden Worten:

„Die Grundlage für die Bildung und Erziehung der Jugend in der Volksschule ist der Religions-Unterricht. Die Ertheilung des Religions-Unterrichts hat nach der Lehre der öffentlich anerkannten Religionsparteien zu erfolgen. Hieraus folgt, daß für die einzelne Schule in der Regel ein bestimmter confessioneller Charakter vorwaltend sein wird. Diese Regel, welche den deutschen Volksschulen schon ihrer geschichtlichen Entstehung nach innewohnt, hat in Preußen ihren besonderen gesetzlichen Ausdruck erhalten, früher in einer Königlichen Ordre vom 4. Oktober 1821, in neuerer Zeit durch den Artikel 24 der Verfassungs-Urkunde. Dieser verordnet.

„Bei der Einrichtung der öffentlichen Volksschulen sind die confessionellen Verhältnisse möglichst zu berücksichtigen."

Ausnahmen von dieser Regel gestattet die K.-O. von 1821, wenn die offenbare Noth dazu drängt, oder wenn die Vereinigung das Werk freier Entschließung der von ihren Seelsorgern berathenen Gemeinden

---

*) Ich erinnere als Beispiel an die Entscheidung, durch welche der Unterrichtsminister als Verwaltungshof das Gymnasium zu Düsseldorf zu einem „katholischen" gemacht hat. „Da die Anstalt von einem katholischen Landesherrn in einer katholischen Stadt, welche damals (1545) noch keine evang. Gemeinde hatte, gegründet und, mit Ausnahme der Zeit von 1804—27, jede Lehrerberufung stets vom katholischen Glaubensbekenntniß abhängig gemacht worden war, auch nach der C.-O. vom 18. Decb. 1846 die Schule zunächst aus dem bergischen Schulfonds, einem namentlich aus Jesuitengut gebildeten Fonds, unterhalten werden soll, so glaubte der Staatsminister von Raumer über den Bestand, in welchem die preuß. Regierung die Anstalt überkommen hatte, hinwegsehen zu müssen, und erkannte durch Rescr. vom 6. Oct. 1854 den confessionell-katholischen Charakter des Gymnasiums als noch jetzt in Kraft und zu Recht bestehend an" (Wiese S. 353). Würde wohl ein Verwaltungsgerichtshof von solchen Entscheidungsgründen eine Zeile als haltbar stehen lassen können?

ift, und von der höheren weltlichen und geistlichen Behörde genehmigt wird. Auch für die Folge werden Ausnahmen dieser und ähnlicher Art nicht ausgeschlossen bleiben dürfen, immerhin aber wird die Anerkennung eines bestimmten confessionellen Charakters für die einzelne Schule, wie bisher, so auch ferner die Regel bleiben."

Der confessionelle Charakter soll also folgen: Erstens aus der geschichtlichen Entstehung der Schulen. Diese Entstehung der preußischen Volksschule wird aber nicht gefunden in den Edikten Königs Friedrich Wilhelm I., nicht in den gesetzlichen Schulreglements, nicht in dem umfassenden Titel des preußischen Landrechts von höheren und niederen Schulen, nicht in der Erhebung unserer Unterrichtsanstalten zu „Einrichtungen des Staats," nicht in den gesetzlichen Grundregeln vom Schulzwang, von der Parität der Kirchen, von der gemeinen Schulunterhaltungslast mit allen ihren rechtlichen Consequenzen. Für die Unterrichtsverwaltung sind diese geschichtlichen Grundlagen nicht vorhanden. Alles verflüchtigt sich vielmehr zu einer Bezugnahme auf eine Geschichte der „deutschen Volksschule," auf eine beiläufige Erwähnung des westphälischen Friedens und des Reichs = Deputations = Hauptschlusses von 1803.

Die zweite Grundlage der Confessionsschulen soll die Königl. Ordre v. 4. Oktober 1821 sein, d. h. eine nie bekannt gewordene Correspondenz zwischen dem Unterrichtsminister und S. M. dem König über die Frage, ob bei Erweiterung der Schule in einem Schulbezirk eine Anstalt mit zweiseitigem, oder zwei Anstalten mit einseitigem Religionsunterricht gebildet werden sollen. Der König soll in dem so extrahirten Erlaß das Verfahren des Ministers gebilligt haben, und durch dies Internum der Verwaltung sollen nunmehr die rechtlichen Folgen der Grundsätze vom Schulzwang, von der Parität, von der gemeinen Schullast, das Preußische Landrecht und sämmtliche allgemeine Landesgesetze abgeändert sein. Die preußischen Schulen sind damit „Confessionsschulen" geworden, — obgleich von allen Rechtsfolgen der Confessionsschule das Gegentheil in den Gesetzen gesagt ist, so deutlich, wie ein Gesetzgeber zu sprechen vermag!

Die dritte Grundlage der Confessionsschule soll der Artikel 24 der Verfassungs = Urkunde sein. Die Verfassung Art. 112 sagt zwar ausdrücklich, daß es hinsichtlich des Schul= und Unterrichtswesens „bei den jetzt geltenden gesetzlichen Bestimmungen bewendet" bis zum Erlaß eines Gesetzes über das ganze Unterrichtswesen. Allein da in dem Zukunftsrecht des preußischen Schulwesens, bei Einrichtung der Volksschule die confessionellen Verhältnisse

„möglichst berücksichtigt" werden sollen: so wird daraus gefolgert, daß die Schulen aus „Veranstaltungen des Staats" bereits Confes=sionsschulen geworden sind.

Daß die Unterrichtsverwaltung keine andere Begründung zu geben vermag, bestätigen die Motive zu den am 2. November 1868 von Neuem vorgelegten Gesetzentwürfen, welche Seite 38, 39 dieselbe Rechtsausführung wiederholen, und nur noch den Art 14 hinzufügen, „daß bei denjenigen Einrichtungen des Staats, welche mit der Religionsübung im Zusammenhange stehen, die christliche Religion zu Grunde gelegt wird."

Jedem Rechtsverständigen muß einleuchten, daß kein Verwal=tungsgerichtshof jemals solche Gründe anzuerkennen vermag, daß bei jeder rechtlichen Behandlung der Schulfrage solche Entschei=dungsgründe als unstatthaft abgelehnt werden müssen. Ja, es könnte unter Rechtskundigen der Zweifel aufgeworfen werden, ob eine solche Beweisführung überhaupt ernstlich gemeint sei?

Das psychologische Räthsel solcher Rechtsausführungen löst sich nur bei einiger Kenntniß des Verlaufs kirchlicher Streitfragen. Es ist die immer wiederkehrende Erscheinung, daß der kirchliche Partei=standpunkt auch die Rechtskundigen (am meisten die scharfsinnigen und theologisch gebildeten) zu juristischen Fehlschlüssen verleitet. Gottes= und Rechtsgelehrtheit haben einmal ihre eigene Weise der Schluß=folgerung: werden beide Anschauungsweisen und Methoden ineinander geschoben, so erscheint etwas, was weder religiös noch rechtlich, weder Gemüths= noch Verstandeswahrheit ist, sondern moderne Scholastik. Der kirchliche Eifer, wie jede absolute Gefühlsrichtung, wenn sie aus dem Kreise der Persönlichkeit in die äußere Verwaltung des Staats tritt, verschiebt die rechtliche und thatsächliche Wahrheit in Ober= und Untersätzen, und führt damit zu den Erscheinungen, welche in der römisch=katholischen Kirche in einem welthistorischen Verlaufe vor tausend Jahren aufgetreten sind.

Jene standhafte Berufung auf gar nicht existirende Gesetze, jenes Hineinlesen von selbstgemachten Dingen in die vorhandenen Gesetze, in welchen das Gegentheil steht, bietet mannigfache Parallelen mit der Machterweiterung der römisch=katholischen Kirche durch den Pseudo=Isidor. Wie der Pseudo=Isidor seine gedachten Gesetze mit den Worten einführt: in synodalibus partum decretis et regum edictis legitur statutum: so hat sich hier eine bei den Akten be=findliche Correspondenz über eine Nebenfrage zu einem Staatsgrund=gesetz gestaltet, durch welches Landrecht und Landesgesetze zu einem neuen Schulwesen umgewandelt sein sollen.

Wie in der Pseudo-Isidorischen Zeit entsteht eine Kette neuer Worte und Begriffe, die nicht nur den Gesetzen fremd, sondern durch das Allgemeine Landrecht so scharf wie möglich disapprobirt sind.

Wie in der Pseudo-Isidorischen Zeit weiß man nicht, wer für diese Unterschiebungen persönlich verantwortlich gemacht werden soll? Sie sind das Gesammterzeugniß des Kampfes der kirchlichen Parteien gegen den vorhandenen Staat, in welchem auch die sich bekämpfenden Kirchen sympathisch zusammenwirken, und zur Erreichung des heiligen Zwecks von der Staatsverwaltung die Weise des Interpretirens, von der modernen Gesellschaft den mangelnden Sinn für Gesetzlichkeit angenommen haben. Der heutige Zustand des preußischen Eherechts, die angebliche Wiederherstellung eines „kirchlichen" Eherechts gegen die preußischen Landesgesetze, bietet parallele Erscheinungen dar.

Dieser kirchliche Parteieifer befestigt sich aber durch den persönlichen Wechselverkehr. Wo er Fuß gefaßt, wirkt er in stillschweigender Uebereinkunft zusammen, immer nur Männer gleicher Auffassung und gleicher Grundrichtung in die leitenden Stellungen zu bringen, wozu in Preußen die langjährige Vereinigung der geistlichen mit der Schulverwaltung und der Mangel jeder Rechtscontrolle für beide die günstigsten Verhältnisse darbot. Gedrängt und befestigt durch die Zustimmung Gleichgesinnter schreitet dann das System vorwärts, gestützt auf die gegenseitige Uebereinstimmung aller „Autoritäten".

Vergleicht man Jahrzehnte hindurch den folgerichtigen Gang dieser Verschiebungen, wie sie in den legislatorischen Entwürfen und ineinandergreifenden obrigkeitlichen Erlassen auftreten, so wird sich nicht bezweifeln lassen, daß die Träger dieser Richtung verdienstlich und recht zu handeln glaubten, wie denn auch die rückhaltslose, jetzt beinahe vollständige Veröffentlichung der Grundsätze dieser Schulverwaltung eine vorhandene bona fides beurkundet.

Dieser gute Glaube berechtigt aber auch zu der Erwartung, daß die Unterrichtsverwaltung eine Berufung auf rechtliche Entscheidung nicht zurückweisen werde. Eine solche Provocation auf rechtliches Gehör, wenn sie einmal ernstlich gestellt ist, kann keine Staatsregierung versagen, ohne sich in die Lage zu bringen, welche einst Feuerbach (Oeffentlichkeit und Mündl. S. 95) gezeichnet hat.

VII.

Das confessionelle Hinderniß der Schulgesetzentwürfe.

Die im Januar 1869 erfolgte Veröffentlichung der Actenstücke über die früheren Unterrichts-Gesetzentwürfe hat ein neues Licht über den Gang dieser Angelegenheit verbreitet, und wird für die Zukunft mancher unbefangenen Ansicht de lege ferenda die Bahn öffnen.

Sie ergiebt, wie aus den tiefverwickelten Verhältnissen von Kirche und Staat heraus, unter der Regierung Friedrich Wilhelms III. die neueren Ausdrücke und Begriffe der Confessionsschule zu keimen beginnen, wie sie zuerst sporadisch, ohne sichtbare Tendenz oder bedeutende Consequenz auftauchen; — wie seit 1840 die noch unklaren kirchlichen Bestrebungen tiefer eingreifen; — wie seit 1848 die ecclesia militans von katholischer und bald wetteifernd von evangelischer Seite in das preußische Schulwesen einrückt. Die verschiedenen Minister und die Hauptdecernenten des Schulwesens formuliren hier ihre Ideen in legislatorischer Form. Die neue Terminologie der evangelischen und katholischen, der Confessions= und der Simultanschulen wird immer geläufiger, und geht als tralatitium aus einem Gesetzentwurf in den andern über.

Wie sich das neuere Regulativrecht in den Gesetzentwürfen formulirt, so befestigt sich umgekehrt das neue Verwaltungssystem durch die legislatorischen Entwürfe. Das ministerielle Decernat hatte die Grundideen früherer Unterrichtsminister in positiver Fassung vor Augen, — viel homogener den zeitig vorherrschenden Ansichten als das Allgemeine Landrecht und die veralteten gesetzlichen Schul=Reglements, welche bei dem Mangel jeder Rechtscontrolle immer mehr in Vergessenheit traten. Der Ideenkreis der confessionellen Schulen hat sich danach weiter abgerundet und in sich abgeschlossen. Man fand bei fortgesetztem Suchen immer mehr höhere Schulen, welche auch „stiftungsmäßig", auch „dotationsmäßig", auch durch „kirchlichen Zusammenhang" oder sonst nach „Herkommen" confessionell seien. Mit weiterer Nachhülfe der sogenannten Statuten wurde der Satz, daß es bei den Confessionsschulen „verbleiben" soll, immer zufriedenstellender in seinem Gesammtresultat. Da indessen die Confessionsschule doch immer wieder mit den Grundsätzen des Schulzwanges, der Parität und der gesetzlichen Schullast in Widerstreit kam, so sollte dem Minister die allgemeine Befugniß vorbehalten bleiben, ausnahms=

weise „Simultanschulen" einzurichten, oder den confessionellen Charakter einer Schule umzuwandeln,

Die kirchlichen Parteien freilich vermochten alle diese Concessionen nur als „halbe" Maßregeln anzusehen. Sollte auch den katholischen Bischöfen und den evangelischen Kirchenbehörden die missio canonica und die Anstellung der Religionslehrer überlassen bleiben, sollte ihnen die Genehmigung aller Lehrpläne, die Genehmigung der Lehrbücher der Religion, der Erbauungsbücher, der Lesebücher, der Geschichtsbücher vorbehalten bleiben, sollte die geistliche Hierarchie nicht nur die „Leitung und Aufsicht" des Religionsunterrichts haben, sondern die gesammte „Einführung der Jugend in das Verständniß und die Uebung des kirchlichen Lebens" überwachen und leiten: — immer waren noch größere, tiefer gehende Einflüsse von der Kirche zu beanspruchen. Es kam dazu noch seit 1850 die vieldeutige Fassung der Verfassungs-Urkunde Art. 24, welche von entgegengesetzten Parteien formulirt, jedem kirchlichen Anspruch dient, über welchen der v. Bethmann-Hollweg'sche Entwurf mit Recht bemerkt:

„Es kann nicht bezweifelt werden, daß in der Verfassungs-Urkunde die Befugnisse der drei Factoren (Staat, Kirche, Commune) so unvermittelt neben einander, zum Theil gegen einander gestellt sind, daß wenn nicht durch das Gesetz die nothwendige Vermittelung noch geboten wird, die Schule zwischen den an ihr Betheiligten zerrissen, für die letzteren selbst aber jede Einheit des Handelns fehlen würde." (Aktenstücke 228.)

Der Widerspruch mit der rechtlichen Wahrheit rächt sich aber durch die ewige Unfruchtbarkeit, zu welcher die pseudo-isidorischen Theorien von Kirche und Staat verurtheilt sind, wenn sie in Werken der Gesetzgebung sich für permanent erklären wollen. Alle jene Entwürfe mit ihrem feingewebten System der Confessionschulen kamen nicht über die Vorstadien der Gesetzgebung hinaus. So auch der neueste Entwurf vom 2. November 1868, mit seinem Art. IV. §§ 4. 5. 6., Art. XII., Art. XIV. §§ 3. 4:

„Es sind in der Regel nur christliche, und zwar für die evangelischen Kinder evangelische, für die katholischen Kinder katholische öffentliche Volksschulen einzurichten und zu unterhalten".

„Wo eine ausreichende Zahl von jüdischen Kindern vorhanden ist, können auch jüdische Schulen mit den Rechten öffentlicher Volksschulen eröffnet werden".

„Wo besondere Confessionsschulen nur mit unverhältnißmäßigen Kosten einzurichten sein würden, sind gemeinsame Schulen einzurichten, und zwar mit Lehrern, welche der Majoritäts = Confession angehören.

„Denjenigen öffentlichen Volksschulen, welche einen bestimmten confessionellen Charakter haben, verbleibt derselbe".

„Der Minister ist jedoch ermächtigt, einer bestehenden Con= fessionsschule die Rechte einer öffentlichen Schule zu entziehen, wenn 2c. —".

„Alle Vorschriften, welche den Bestimmungen dieses Gesetzes ent= gegenstehen, werden hierdurch außer Kraft gesetzt, sie mögen in allgemeinen Landes= und Provinzialgesetzen oder in besonderen Gesetzen enthalten sein".

Die bisherigen Ausführungen werden wohl ergeben, warum ein preußisches Schul=Gesetz so nicht gefaßt werden kann. Die Confessionsschule mit allen ihren Variationen ist ein unjuristischer, widerspruchsvoller Begriff, welchen kein Verwaltungsgerichtshof jemals handhaben kann, weil er eine unendliche Reihe von latenten Rechts= Ansprüchen der Kirche in sich trägt. Deshalb eben hat das Preußische Landrecht und die preußischen Landesgesetze bisher diese unjuristischen Begriffe sorgfältig abgewehrt.

Niemand ist im Stande, zu sagen, welche bestehenden Schu= len „confessionell" sein sollten, da alle von der Verwaltung aufgestellten Begriffe von stiftungsmäßigen, dotationsmäßigen, statutenmäßigen, ver= waltungsmäßigen Confessionsschulen unecht und juristisch unhaltbar sind.

Niemand wäre im Stande festzustellen, welche älteren preu= ßischen Landesgesetze neben diesem neuen Gesetz noch gelten, welche aufgehoben sein sollen; denn die Rechtsgrundsätze des Landrechts vom Schulzwang, von der Parität und von der gemeinen Schullast, widersprechen dem Begriff der Confessionsschule ebenso unlösbar, wie das evangelische Dogma dem katholischen. Dies Chaos von Wider= sprüchen reicht aber in den Gesetzentwurf selbst hinein, da er einzelne Sätze aus dem geltenden Recht wieder aufnimmt. Schließlich müßte ein Verwaltungsgerichtshof doch annehmen, daß das neue Gesetz ein gedankenmäßiges Ganze bilden soll, welches dem älteren Recht vorgeht. Mit dem unscheinbaren Schlußparagraphen von der Aufhebung der früheren Landesgesetze wäre also erreicht, was die clericale Seite seit einem Menschenalter vergeblich erstrebt hat: die gesetzliche Sanction des neuen Verwaltungsrechts, die durchgreifende legale Novation der Stel= lung von Kirche und Staat im Schulwesen.

Denjenigen, welchen diese Gesichtspunkte zu principiell vorkommen möchten, welche als „praktische" Schulmänner nicht gern davon hören, daß die Grundsätze von Schulzwang, Parität, gemeiner Schullast, Staatsaufsicht, feste Rechtsgrundsätze sind, möchten wir noch **einige sehr praktische Schwierigkeiten** einer solchen Gesetzgebung vorhalten.

Das **erste** ist die heute schon vorhandene **Unausführbarkeit der ganzen Grundbestimmung Art. IV. § 4—6.** Hätten die Urheber des Gesetzentwurfs die Spezialstatistik unserer Schul- und politischen Gemeinden vor Augen gehabt, so würden sie als die erschreckende Folge unserer Freizügigkeit wahrgenommen haben, daß in allen unseren Kreisen neben der Majoritäts-Confession noch eine Minorität der anderen Confession sich niedergelassen hat; daß in den 1000 Städten dies längst die ausnahmslose Regel ist, in den Dörfern mit jeder Volkszählung rapide zunimmt. Wie kann man in dies Gemeindeleben ein Gesetz einführen wollen: die Katholiken sollen eine katholische, die Evangelischen eine evangelische, die Juden eine jüdische Schule für sich haben! Es ist das einfach unmöglich. Ein Schuldecernent mag sich darüber hinwegsetzen in der Meinung, daß es auf „ein Paar Kinder" nicht ankomme, welche man in der Confessionsschule der andern Religionspartei mit unterstecke. Allein es ist eine sehr ernste Sache mit dem gesetzlichen Schulzwang im Verhältniß zu dem Gewissen der Menschen, und darüber sollten sich theologisch gebildete Männer am allerletzten hinwegsetzen. Je mehr es ihnen gelingt, der Schule den kirchlichen Parteicharakter aufzudrücken, um desto weniger werden sie hinwegkommen über die Reclamationen jedes einzelnen evangelischen Familienvaters, der dagegen protestirt, seine Kinder in Schulen hineinzuzwingen, in welchen der ganze Unterricht im Lesen und Schreiben „tief durchdrungen" von den katholischen Glaubenslehren sein soll (und umgekehrt). Die „Paar Kinder" werden der künftigen Schulverwaltung unabsehbare Schwierigkeiten bereiten, sobald einmal die gesetzliche Regel ausgesprochen ist. Die Schulverwaltung bringt sich selbst in eine unerträgliche Lage durch Aufstellung einer gesetzlichen Regel, welche sie zur Zeit in 100 Fällen einer berechtigten Reclamation 99 Mal nicht ausführen kann. Wo aber auch die confessionelle Sonderung der Schulen wirklich durchgeführt wird, entsteht wieder eine Verletzung der Parität. Immer hat der eine oder andere Religionstheil in jeder Provinz, in jedem Kreise, in jeder Stadt **weniger** Schulen, als ihm nach der Bevölkerungszahl zukommen. Die Reclamationen in dieser Richtung werden gerade um so lebhafter, je mehr es gelingt, den Schulen den kirchlichen Parteicharakter aufzudrücken. Und sie sind endlos; denn wenn das Fehlende reichlich nachgeholt wird, so kommt sofort der andere Religionstheil in Rückstand. Es entsteht dann ein Wettkampf à mort tour, wie in dem Breslauer Streitfall, welcher nur der Vorläufer der Verhältnisse ist, welche zur gesetzlichen Regel des Landes erhoben werden sollen.

Zugleich häufen sich die Widersprüche von einer zweiten Seite. Die erhöhten Geldbedürfnisse der Schule führten zu massenhaft erhöhten Ansprüchen an Ortsgemeinden und Kreise, deren Nothwendigkeit die Staatsregierung, wie die verschiedenen Parteien im Allgemeinen anerkennen. Wie ist es aber möglich, diese vervielfältigten Lasten den politischen Gemeinden zuzumuthen mit dem widerspruchsvollen System der Confessionsschulen? Die Zumuthung neuer Steuerlasten vereinigt regelmäßig alle Interessen zum energischen Widerstand. Dieser Widerstand wird unüberwindlich, wenn ihm der confessionelle Widerspruch hinzugefügt wird, wenn Evangelische gezwungen werden sollen, katholisch-confessionelle Anstalten aus ihren Mitteln zu begründen und umgekehrt. Das Allgemeine Landrecht hat in verständiger Einsicht die thatsächlich vorhandenen Verhältnisse getrennter Schulen und die gütliche Uebereinkunft in der Schulsocietät walten lassen. Das Verhältniß ändert sich aber sofort, wenn dies tolerirte Verhältniß zum gesetzlichen Zwang werden soll. Das nicht mehr tolerirte, sondern erzwungene Verhältniß erzeugt das Gefühl der Intoleranz auf beiden Seiten. Es macht auf beiden Seiten den Eindruck, daß der Gemeindebewohner seine Steuer zahlen soll, um die Jugend der Gemeinde in Glaubenssätzen zu erziehen, die den seinigen widerstrebend und widersprechend sind, daß er seine Steuern zahlen soll für eine Anstalt, in der vielleicht von einem zelotischen Lehrer und einem zelotischen Schulinspektor Jahr aus Jahr ein sein Glaube und seine Kirche angefeindet wird; während ihm selbst kein Antheil an der Wahl dieses Lehrers, kein Einfluß auf den Gang des Unterrichts zugestanden ist. Dies confessionelle Gefühl, einmal angeregt, ist unüberwindlich. Die Staatsregierung selbst macht jeden Fortschritt des Schulwesens von der Seite der Steuern aus mit dem Grundsatz der Confessionsschulen unmöglich.

Der dritte Widerspruch des neuen Verwaltungsrechts ist, daß der Staat in Consequenz seiner eigenen Maximen sich an 100 Stellen an ein Zustimmungsrecht der Kirchengewalt bindet. Ist die Schule confessionell in ihrer Gesammtheit, so bleibt es unabänderlich Sache der Kirche, die Reinheit des Glaubens zu überwachen im Gebiet der Personen, der Schulbücher, der Unterrichtsmethode. Die Staatsregierung mag dies Abhängigkeitsverhältniß für weniger bedenklich halten auf der Seite der evangelischen Kirche: mit der katholischen Kirche kommt sie damit auf den Fuß der Concordate, auf welchem keine heutige Staatsverwaltung mit den Kirchen bleiben kann. Schon der ältere Schulgesetzentwurf v. 27. Juni 1819 hatte sich zu seinem großen Schaden auf dies Gebiet begeben. Den katholischen Bischöfen hat schon damals keine Concession genügt: es wurde vielmehr von dieser Seite einfach „das Recht des Tridentiner Concils und des Reichsdeputationshauptschlusses" beansprucht, und Beschwerde geführt, daß die Bestimmungen des Regierungsentwurfs „nur wie eine Gnade" erscheinen. Es wurde für den Bischof die „ganze" Leitung der katholischen Seminarien, die Anstellung des Directors und sämmtlicher Lehrer, die Aufnahme der Alumnen beansprucht; die Ernennung aller Lehrer an den katholischen Gymnasien; an den höheren Lehranstalten seien am besten die Lehrer aus dem geistlichen Stande zu nehmen. Die vorbehaltenen Genehmigungen des Unterrichtsministers wurden für „unzulässig" erklärt, da der Bischof in seinem Ressort keiner Bestätigung der weltlichen Obrigkeit bedürfe. Einer Leitung des katholischen Schulwesens durch Nichtkatholiken wurde überhaupt widersprochen (Actenstücke aus dem Ministerium 1869 S. 93. 94.) Die Staatsregierung muß wissen, daß diese Standpunkte unabänderliche sind, daß die Kirche als Corporation nicht weniger als die Gesammtheit des Unterrichts beanspruchen kann. — Den weitern Verlauf solcher Verhandlungen berichten die Actenstücke S. 93:

„Gegen die im Entwurf den Bischöfen zugestandenen Befugnisse erklären sich mehr oder weniger fast alle Gutachten, einige mit vollster Energie. Es sei das an sich unzuträglich und eine Unbilligkeit gegen die evangelische Kirchenbehörde, welcher gleiche Rechte nicht eingeräumt würden."

Es ist dies damit angedeutet, wie dies Verhalten des Staats es für die evangelische Kirche zum Ehrenpunkt macht, die gleichen Rechte zu beanspruchen, wie also die Staatsverwaltung alle kirchlichen Mächte in dem Anspruch auf „Leitung" der Schule gegen sich vereinigt, während diese Ansprüche unter sich wieder einander bekämpfen und auf demselben Boden keinen Platz finden.

In diesem Wirrsal widersprechender Anforderungen wird jede Feststellung eines durchgreifenden Grundsatzes, also eine Gesetzgebung über das Schulwesen unmöglich. Durch den Dualismus der Kirchenverfassung und durch die Bedürfnisse der deutschen Bevölkerung wird die Unterrichtsverwaltung immer wieder gezwungen sein, die confessionelle

Schule in eine Staatsschule umzubilden. Und da der für Deutschland nothwendige Zustand in Preußen bereits der gesetzliche ist, so kommt es nur darauf an, daß die Unterrichtsverwaltung selbst auf den gesetzlichen Boden zurückkehre, daß sie sich der Rechts-controlle durch einen Verwaltungsgerichtshof füge, womit der ganze Apparat der Confessionsschulen mit ihrem Zubehör von Streit und Verwirrung verschwinden wird. Es bedarf weder einer Bestätigung noch einer Abänderung unserer landrechtlichen Grundsätze, sondern nur einer Sicherung derselben durch eine geordnete Jurisdiction zum Schutz des bestehenden Rechts in Preußen.

Das Neue, worauf es ankommt, ist, der preußischen Volksschule erhöhte Geldmittel und eine geeignete Ortsverwaltung durch intelligente, ihrer Aufgabe gewachsene Schulcommissionen zu verschaffen. Damit erst fängt die praktische Aufgabe der Gesetzgebung an. Diese unab-weisbare Aufgabe ist aber nur im System der Selbstverwaltung zu lösen, und fällt unter ganz andere Gesichtspunkte, als diejenigen, welche die Schulgesetzentwürfe bisher verfolgt haben. Vorschläge darüber sind zum Gegenstand einer besonderen gleichzeitig erscheinenden Schrift ge-macht. (Gneist, die Lösung des preußischen Schulstreits auf dem Boden der Selbstverwaltung der Kreise. Berlin 1869). Jeder Auf-bau auf diesem Boden ist aber nur möglich mit dem gesetzestreuen Festhalten an den historischen Grundlagen des preußischen Unterrichts-wesens, dem Schulzwang, der Parität, der gemeinen Schullast.

Die Streitfrage, von welcher jeder weitere Schritt abhängig ist, war also bisher unrecht gestellt.

Die preußische Schule, in welcher die Religion confessionell ge-lehrt werden muß, die Wissenschaft nicht confessionell gelehrt werden darf, soll man weder confessionell noch confessionslos nennen. Diese Fragstellung selbst ist pseudoisidorischen Ursprungs, und wird von den kirchlichen Parteimännern gemißbraucht, um die Köpfe zu verwirren.

Es handelt sich vielmehr um gesetzmäßige Schule oder cleri-cale Schule, — um preußische Schule oder unpreußische Schule.

Wir antworten darauf: Nolumus legem terrae mutare.

Druck von J. Drägers Buchdruckerei (C. Feicht) in Berlin.